Sztuka prostoty

Sztuka prostoty

Dominique Loreau

przełożyła Joanna Sobotnik

Wydawnictwo Czarna Owca
Warszawa 2012

Tytuł oryginału
L'ART DE LA SIMPLICITÉ

Redakcja
Krystyna Podhajska

Projekt okładki
Magda Kuc

Skład i łamanie
Marcin Labus

Korekta
Jolanta Kucharska

© Éditions Robert Laffont, 2005

Copyright © for the Polish edition by Jacek Santorski & Co Agencja
Wydawnicza, 2008

Wydanie II

Druk i oprawa
Grafmar, Kolbuszowa Dolna

Książka została wydrukowana na papierze Alto 80g/m², vol. 1,5
dystrybuowanym przez:

ISBN 978-83-7554-255-4

Wydawnictwo

**CZARNA
OWCA**
ul. Alzacka 15a, 03-972 Warszawa
e-mail: wydawnictwo@czarnaowca.pl
Dział handlowy: tel. (22) 616 29 36; faks (22) 433 51 51
Zapraszamy do naszego sklepu internetowego:
www.czarnaowca.pl

SPIS TREŚCI

Wszystkim, którzy chcą żyć skromniej
– a więc lepiej – pod względem materialnym,
fizycznym, psychicznym, duchowym,
by pomóc im odkryć
niezmierzony potencjał, jaki mają.

Tej wiosny w mojej chacie
nie ma absolutnie niczego,
jest absolutnie wszystko.

Kobayashi Issa

Wstęp

Od dzieciństwa chciałam wiedzieć, co dzieje się poza granicami Francji. To zadecydowało o kierunku mojej edukacji i moim życiu zawodowym. Mając dziewiętnaście lat, byłam nauczycielką języka francuskiego w gimnazjum w Anglii, a mając dwadzieścia cztery lata – na uniwersytecie amerykańskim w Missouri. Dzięki temu poznałam Kanadę, Meksyk, kraje Ameryki Środkowej i większą część Stanów Zjednoczonych. Ale kiedy odwiedziłam ogród zen w okolicach San Francisco, doświadczyłam nieodpartej potrzeby odkrycia źródła tak niezwykłego piękna. Wyjechałam więc do Japonii. Nie potrafię powiedzieć, dlaczego pociągała mnie ona, odkąd pamiętam. Mieszkam tu do dziś.

Podróżowanie po tak wielu krajach zachęciło mnie do nieustannego zadawania sobie pytań o to, jaki jest idealny styl życia. I do poszukiwania tego stylu. Z czasem zrozumiałam, że najwłaściwszy, wygodny i odpowiadający mojej osobowości styl to prostota.

Gdy mówię, że mija dwadzieścia sześć lat, odkąd zamieszkałam w Japonii, ludzie pytają, dlaczego wybrałam właśnie ten kraj. Sprawiły to pasja i potrzeba. W Japonii czuję się swobodnie, codziennie rano odczuwam radość na myśl o nowych odkryciach.

Zawsze fascynował mnie zen i wszystko, co się z nim wiąże: rysunek tuszem, świątynie, ogrody, źródła termalne, kuchnia, ikebana. Niedługo po przyjeździe miałam szczęście poznać profesora *sumi-e* (technika malarska, w której wykorzystuje się tylko czarny tusz), który w ciągu dziesięciu lat nie tylko przybliżył mi ten gatunek sztuki, ale także sposób myślenia Japończyków – przyjmowanie życia takim, jakie jest, bez prób wyjaśniania, analizowania, rozkładania wszystkiego na czynniki pierwsze. Krótko mówiąc – życie zen.

Uczyłam języka francuskiego w uczelni buddyjskiej, mogłam więc uczestniczyć we wtajemniczeniu w świątyni zen Aichi Senmon Nissoudo w Nagoi.

Gdy opuściłam świątynię, dotarło do mnie jeszcze dobitniej, do jakiego stopnia Japończycy, mimo że wydają się bardzo nowocześni, są aż po najdrobniejsze szczegóły życia codziennego przesiąknięci filozofią przodków.

Dzięki Japonii odkryłam, że prostota ma pozytywną wartość i jest wzbogacająca.

Zresztą starożytni filozofowie, mistycy chrześcijańscy i buddyjscy, mędrcy hinduscy na przestrzeni wieków starali się przypominać jej zasady.

Prostota uwalnia od uprzedzeń, ograniczeń oraz obciążeń, które nas rozpraszają i stresują. Przynosi rozwiązanie wielu problemów.

Jednak prowadzenie prostego życia nie przyszło mi łatwo! Był to raczej wynik długotrwałej przemiany, coraz potężniejszej tęsknoty za skromnością, wolnością, różnorodnością. A także – za wyrafinowaniem. Powoli zdałam sobie sprawę z tego, że im większej liczby rzeczy się pozbywałam, tym mniej to, co pozostało, było mi potrzebne. Żeby żyć, naprawdę potrzebujemy niewiele. Zyskałam głębokie i ugruntowane przekonanie, że im mniej mamy, tym bardziej jesteśmy wolni i tym bardziej możemy się rozwijać. Ale wiem też, że trzeba zachować czujność – pułapki konsumpcjonizmu, bierności fizycznej, apatii umysłowej i negatywizmu czyhają na nas przy najmniejszym osłabieniu uwagi.

Książka ta powstała na podstawie notatek, prowadzonych przez wiele lat od chwili, gdy zamieszkałam w Japonii. Jest owocem moich doświadczeń, lektur, spotkań, refleksji... Wyraża mój ideał, moje *credo*, mój sposób postępowania i styl życia, do których aspiruję i które staram się stosować. Notatki te zawsze pieczołowicie przechowywałam i woziłam ze sobą, by były mi przewodnikiem, by mi przypominały o tym, o czym jestem skłonna zapominać. Miały także utwierdzać mnie w moich głębokich przekonaniach, kiedy wszystko wokół wydaje się tym przekonaniom zaprzeczać. Wciąż są dla mnie znakomitym źródłem rad i ćwiczeń, które staram się wykonywać w małych dawkach w zależności od rodzaju napotykanych trudności oraz moich potrzeb.

Zaczynamy zdawać sobie sprawę z niebezpieczeństw, wiążących się z przesadą i nadmiarem. Coraz więcej kobiet pragnie odkryć na nowo radości i dobrodziejstwa skromnego, bliższego naturze życia. Z dala od żarłocznego społeczeństwa konsumpcyjnego szukają jego sensu, który pozostawałby w harmonii z naszą epoką.

Do nich właśnie adresowana jest ta książka.

Mam nadzieję, że pozwoli im ona poznać w praktyce sztukę prostoty – receptę na możliwie najpełniejsze życie.

MATERIALIZM I MINIMALIZM

1. Zbytki materializmu

W społeczeństwach zachodnich nie potrafimy już żyć skromnie. Mamy zbyt dużo dóbr materialnych, zbyt wielki wybór, nadmiar pragnień i pokarmu. Wszystko marnujemy, niszczymy. Używamy nakryć stołowych, długopisów, zapalniczek, aparatów fotograficznych jednorazowego użytku. Ich produkcja powoduje zanieczyszczenie wody i powietrza, całego środowiska. Z własnej woli zaprzestań już teraz marnotrawstwa, zanim zostaniesz do tego zmuszona w niedalekiej przyszłości.

Dopiero kiedy usuniesz wszystko, co niepotrzebne, dostrzeżesz nowe perspektywy, a podstawowe czynności, takie jak ubieranie się, jedzenie, spanie, zyskają inny, głębszy sens.

Nie chodzi o dążenie do doskonałości, ale o wzbogacenie życia. Obfitość nie uczy wdzięku ani elegancji. Niszczy duszę i pozbawia wolności.

Prostota zaś rozwiązuje wiele problemów. Miej mało rzeczy – będziesz mogła poświęcić więcej czasu swojemu ciału. A gdy poczujesz się dobrze w swojej skórze, będziesz mogła zapomnieć o sprawach ciała i zająć się kwestiami duchowymi, wieść życie pełne sensu. Będziesz szczęśliwa.

Prostota oznacza, że mamy niewiele, by stworzyć miejsce dla spraw najważniejszych. Ponadto prostota jest piękna, ponieważ kryją się w niej cuda.

Ciężar własności
(w sensie dosłownym i przenośnym)

Potrzeba gromadzenia

> *Mieli dziesiątki pudeł, wypełnionych przedmiotami, które czekały na to, by pewnego dnia ktoś się nimi posłużył. Mimo to Kleinowie sprawiali wrażenie biednej rodziny.*
>
> fragment filmu „Z archiwum X"

Większość z nas podróżuje przez życie ze sporym bagażem, czasem zdecydowanie zbyt dużym. Czy nie powinniśmy zastanowić się przez chwilę i zapytać samych siebie, dlaczego jesteśmy tak przywiązani do przedmiotów? Dla wielu ludzi posiadane dobra materialne są dowodem istnienia. Świadomie czy nie, wiążą swoją tożsamość i własny wizerunek z tym, co mają. Im więcej mają, tym czują się bezpieczniejsi, bardziej spełnieni. Wszystko staje się przedmiotem pożądania: rzeczy, interesy, dzieła sztuki, wiedza, myśli, przyjaciele, kochankowie, podróże, Bóg i nawet ego.

Ludzie konsumują, nabywają, gromadzą, kolekcjonują – innych ludzi, kontakty, dyplomy, tytuły, odznaczenia. Uginają się pod ciężarem swoich dóbr i zapominają, że pożądanie zmienia ich w istoty podporządkowane coraz liczniejszym pragnieniom.

Wiele naszych rzeczy jest zupełnie niepotrzebnych, ale dociera to do nas dopiero w chwili, gdy je utracimy. Używaliśmy ich, ponieważ kupiliśmy je pewnego dnia, a nie dlatego, że były niezbędne. Jak wiele przedmiotów kupujemy dlatego, że widzimy je u innych?

Niezdecydowanie i gromadzenie

> *Świat intelektu jest wystarczająco bogaty, by wypełnić nasze życie. Nie ma potrzeby dodawania do niego bezużytecznych bibelotów, które zajmują nasz umysł i pochłaniają godziny naszego odpoczynku.*
>
> Charlotte Perriand, *Kreatywne życie*

Uporządkowanie życia wymaga czasem dokonania bolesnych wyborów. Wielu ludzi żyje w otoczeniu – dosłownie – ton przedmiotów, na których im nie zależy i które nie są im potrzebne. Nie potrafią się zdobyć na zastanowienie, co z nimi zrobić, nie mają odruchu, by je oddać, sprzedać lub wyrzucić. Są przywiązani do przeszłości, przodków, wspomnień, ale zapominają o teraźniejszości i nie myślą o przyszłości.

Aby coś wyrzucić, potrzeba wysiłku. Nie chodzi o pozbycie się rzeczy, bo to łatwe, ale o ocenę, co jest potrzebne, a co nie. Trudno oderwać się od niektórych przedmiotów. Ale po pewnym czasie odczuwamy ogromną satysfakcję!

Lęk przed zmianą

> *Nie, dzielni ludzie kochają jedynie...*
> *My wybieramy inną drogę niż oni.*
>
> Georges Brassens, *Zła reputacja*

Nasza kultura z trudnością toleruje tych, którzy wybierają skromne życie, ponieważ stanowią oni zagrożenie dla gospodarki i społeczeństwa konsumpcyjnego. Osoby te są uważane za jednostki podejrzane, nawet z marginesu. Ludzie, którzy z wyboru żyją skromnie, niewiele jedzą, mało marnują, bawią się rzadko albo nigdy, są nazywani skąpcami, hipokrytami, osobami aspołecznymi.

Zmieniać się to znaczy żyć. Jesteśmy naczyniem, a nie jego zawartością. Pozbycie się własności może człowiekowi pomóc w staniu się tym, kim chciałby być.

Wiele osób mówi, że w młodości zaznało biedy i że wyrzucenie czegoś wywołuje u nich poczucie winy, kojarzy im się bowiem z marnotrawstwem, rozrzutnością.

Ale wyrzucenie rzeczy, z której możemy jeszcze zrobić użytek, to nie marnotrawstwo. Jeżeli pozbywamy się czegoś, co niczemu nie służy, postępujemy rozsądnie. Marnotrawstwem byłoby zatrzymanie tego.

Tracimy mnóstwo energii, zapełniając przestrzeń. Urządzamy salon, naśladując pomysły z czasopism wnętrzarskich. Wiele czasu zajmuje nam najpierw szukanie określonych rzeczy, a później ich porządkowanie, czyszczenie...

Czy wspomnienia są dla nas aż takim dobrodziejstwem? Czy czynią nas szczęśliwszymi? Mówi się, że rzeczy mają duszę. Ale czy przywiązanie do przeszłości powinno zawładnąć przyszłością? Albo sprawiać, że teraźniejszość staje się statyczna?

Wybierz minimalizm

> *Bogactwem człowieka są rzeczy, bez których może się obejść.*
>
> Henry David Thoreau, *Walden*

Oszczędność w stylu życia jest przejawem mądrości, ponieważ życie wśród małej liczby rzeczy podwyższa jakość egzystencji. Istota człowieka nie znajduje się w rzeczach. By się stać minimalistą, trzeba mieć odpowiedni bagaż duchowy oraz intelektualny. Niektóre narody, na przykład Koreańczycy, instynktownie kochają to, co jest skromne i wolne od nadmiaru. Świadczy o tym choćby ich sztuka. Wszyscy możemy wybrać bogactwo posiadania małej liczby rzeczy, choć konsekwencja w tym wypadku wymaga sporej odwagi.

Żeby żyć wśród absolutnego minimum przedmiotów, w czystych i pełnych świeżego powietrza wnętrzach, trzeba się wykazać silną wolą, dokładnością i kategorycznością. Minimalizm wymaga dyscypliny oraz wielkiej dbałości o detal. Wyrzuć najpierw możliwie jak najwięcej rzeczy. Staraj się nie dopuścić do tego, by przydusiły cię przedmioty i meble, a później możesz zajmować się czymś innym. Myśl o pozbyciu się czegokolwiek nigdy więcej nie będzie cię męczyć. Twoje decyzje staną się instynktowne, twój styl ubierania się bardziej elegancki, dom wygodniejszy, terminarz mniej zapełniony. Powróci rozsądek. Będziesz patrzeć na swoje życie z większą przenikliwością. Naucz się usuwać rzeczy ze spokojem, ale stanowczo. Zatrzymaj się na moment i zastanów nad tym wszystkim, co możesz zrobić, aby ułatwić sobie życie.

Zadaj sobie kilka pytań: Co komplikuje mi życie? Czy jest to warte wysiłku? Kiedy jestem najszczęśliwsza? Czy „mieć" jest ważniejsze niż „być"? Do jakiego stopnia byłabym w stanie cieszyć się skromnym życiem? Moja rada: zapisz swoje odpowiedzi na te pytania!

Używaj możliwie jak najmniejszej liczby przedmiotów

> *Japończykom wystarczy pięć minut na przygotowanie się do długiej podróży. Mają niewiele potrzeb. O ich przewadze w nieustannej walce, którą jest ludzka egzystencja, decyduje umiejętność życia bez balastu, utrudnień, przeszkód, mebli, z minimalną liczbą ubrań.*
>
> Lafcadio Hearn, *Kokoro*

Wyobraź sobie, patrząc na przedmiot, który absorbuje twoje zmysły, że się on zmienia, rozpada, że pewnego dnia obróci się w proch.

Nic nie daje większej korzyści niż umiejętność metodycznej i realnej oceny każdego przedmiotu. Tego, jaka jest jego użyteczność, do jakiego porządku należy, jaką ma wartość dla twojej egzystencji. Zastanów się, z jakich elementów się składa, ile czasu może istnieć i jakie uczucia w tobie budzi.

Wzbogacaj raczej swoje ciało we wrażenia, serce w uczucia, a umysł w wiedzę niż swoje życie w przedmioty.

Pozbądź się wszystkich dóbr tego świata jak starego ubrania, które ci przeszkadza. Osiągniesz wtedy najwyższy stopień doskonałości.

Jak możesz przyjąć coś nowego, jeżeli nie znajdziesz dla tej rzeczy miejsca? Nie uznawaj przedmiotów za ważniejsze od pracy, spokoju, piękna, wolności – od samego istnienia. Zbyt dużo rzeczy nas osacza i zniewala, odwraca naszą uwagę od spraw zasadniczych. Także nasz umysł staje się zaśmiecony jak strych pełen staroci, nagromadzonych przez lata. To przeszkadza nam się poruszać i dążyć przed siebie. Tymczasem żyć znaczy iść do przodu. Akceptowanie mnogości powoduje niepewność, troski, zmęczenie. Jak dobrze jest wrzucić wszystko do bagażnika samochodu i ruszyć w nieznanym kierunku!

Nie stań się własnością

> Z prostoty uczyniłem fundamentalną zasadę mojego życia. Byłem zdecydowany wyrzucić wszystko poza podstawowymi, niezbędnymi przedmiotami. W tej ascetycznej i spartańskiej idei kryło się błogosławieństwo. Pragnąłem medytować aż do chwili, gdy stanie się ono także moim udziałem.
>
> Milan Kundera, *Nieznośna lekkość bytu*

Nie my mamy rzeczy. To one są naszymi właścicielami.

Każdy ma prawo mieć wszystko, czego tylko zapragnie. Ale ważny jest stosunek do przedmiotów, znajomość granic własnych potrzeb i oczekiwań wobec życia – świadomość tego, jakie książki chcielibyśmy czytać, jakie filmy oglądać, w jakich miejscach odczuwamy prawdziwą radość.

Wystarczy mieć w torebce szminkę, dowód osobisty, pieniądze. Jeśli masz tylko jeden pilniczek do paznokci, zawsze będziesz wiedziała, gdzie go znaleźć. W mieszkaniu ważne są wygoda, wysoka jakość wykończenia i jeden, dwa piękne meble. Jeżeli zrezygnujemy z posiadania zbyt wielu rzeczy, będziemy potrafili lepiej docenić to wszystko, co przynosi satysfakcję duchową, emocjonalną, intelektualną.

Wyrzuć przedmioty bezużyteczne i te, które są zniszczone. Możesz je także wyłożyć przed domem z kartką informującą, że można je zabrać.

Oddaj do szpitala lub domu spokojnej starości to, co może się jeszcze komuś przydać: książki, ubrania, naczynia. Niczego w ten sposób nie stracisz. Przeciwnie, zyskasz wiele satysfakcji i radości. Sprzedaj rzeczy, których nie używasz lub z których rzadko korzystasz.

A kiedy mieszkanie zrobi się puste, doceń korzyść płynącą z faktu, że nie masz już niczego, co mogłoby się stać łupem złodziei, pożywką dla moli czy ognia, obiektem pożądania zazdrośników. Posiadanie większej liczby rzeczy niż to absolutnie niezbędne oznacza narażanie się na nowe niedole. Poza tym, jak mówi francuskie przysłowie, nikt ze zbyt dużym bagażem nie utrzyma się długo na powierzchni wody.

Dom – wojna wydana przepełnieniu

Dom powinien być antidotum na stres życia w mieście

> *Człowiek potrzebuje do życia przestrzeni, światła, porządku – tak jak pożywienia czy posłania.*
>
> Le Corbusier

Dom staje się oazą spokoju, gdy nie ma w nim niczego poza kilkoma pięknymi, doskonałymi i niezbędnymi przedmiotami.

Troszcz się o swój dom, sprzątaj go i mieszkaj w nim z szacunkiem, by chronił twój najcenniejszy skarb – ciebie.

Możemy się rozwijać dopiero wtedy, gdy nie zaprzątają nas sprawy materialne. Ciało jest mieszkaniem dla ducha, tak jak dom jest schronieniem dla ciała. Dusza powinna być wolna, by mogła się rozwijać.

Każdy z posiadanych przez nas przedmiotów powinien nam przypominać, że nie potrzebujemy niczego poza nim i że to jego użyteczność czyni go tak cennym. Bez niego właściwie nie moglibyśmy funkcjonować.

Dom powinien być miejscem odpoczynku, źródłem inspiracji, przestrzenią działającą terapeutycznie. Miasta, w których żyjemy, są przeludnione, hałaśliwe, pstrokate. Zbyt wiele rzeczy przyciąga nasz wzrok, atakuje nas, powodując ból. Rolą domu jest przywrócenie nam energii, witalności, równowagi, radości. Dom stanowi ochronę fizyczną i psychiczną dla ciała i ducha.

Istnieje niedożywienie fizyczne. Ale występuje także głód duchowy. Nasze zdrowie zależy od tego, co jemy. Nasza równowaga wewnętrzna od tego, jak wygląda nasz dom.

Zmienność, ruchomość i brak ozdób

> Zamiłowanie do abstrakcji sprawiło, że zen przedkłada biało-czarne szkice nad starannie wykonane obrazy klasycznej szkoły buddyjskiej.
>
> Mai-Mai Sze, *Tao malarstwa*

Zmienność wnętrza jest niezmiernie istotna. Idealne wnętrze to takie, którego utrzymanie w czystości wymaga minimum wysiłku. A jednocześnie zapewniające wygodę, spokój i radość życia.

Bauhaus, sztuka shakerów oraz japońskie wnętrza mają jako wspólny mianownik pragmatyzm i elastyczność. Ich twórcom przyświecała myśl, że mniej znaczy więcej.

Skromnie umeblowany dom daje więcej swobody ruchu. Przedmioty i meble powinny być lekkie, powinny zaspokajać potrzeby i ciała, i oka. Puszystość dywanu, zapach boazerii, świeża biel kabiny prysznicowej mają przemawiać do zmysłów. Wyrzuć na śmietnik ciężkie popielniczki, wielkie dywany, których nie da się podnieść, lampy stojące, o których kable się potykasz, makatki haftowane przez cioteczną babkę, naczynia z miedzi matowe tuż po wypolerowaniu i tysiąc rzeczy gromadzących kurz, od których uginają się obudowa kominka, konsola i półki regału.

Pomyśl raczej o zmianie niektórych detali architektonicznych, zainstalowaniu funkcjonalnego i łagodnego oświetlenia, wymianie zepsutej armatury. Wygoda jest sztuką. To, co niewygodne, nie zasługuje na miano pięknego.

Płynny styl architektoniczny albo styl białej przestrzeni sprawiają, że przedmioty istnieją dzięki otaczającej je pustce. Ludzie, którzy zastosowali tę estetykę w swoich domach, czynią niewiele ustępstw: dwie, trzy książki, pachnąca świeca i miękka kanapa.

Nieumeblowany pokój zaprasza do wnikania światło i wszelkie pozytywne fluidy. Najmniejszy przedmiot staje się w tej pustce dziełem sztuki, a każda spędzona tam minuta – bezcenna.

Puste wnętrze daje przebywającym w nim ludziom poczucie, że sprawują kontrolę nad swoim życiem, ponieważ nie stali się własnością przedmiotów. Zapewnia im wygodę i sprawia satysfakcję. Bez pustki nie byłoby piękna. Bez ciszy nie byłoby muzyki. Filiżanka herbaty wypita w pomieszczeniu o wystroju minimalistycznym staje się niezapomnianym doświadczeniem. W pustej przestrzeni wszystko jest kompozycją, martwą naturą, obrazem. Pierwsze domy Bauhausu krytykowano za ich surowość, choć były piękne. Stanowiły jednak wzór funkcjonalności i rozsądku, mogły się stać świątyniami zmysłów. Zarezerwowano w nich przestrzeń do uprawiania ćwiczeń fizycznych, zażywania kąpieli słonecznych, pielęgnowania ciała i dbania o higienę. Wszystko zaprojektowano w nich z myślą o wygodzie.

Weź swój dom na dietę

Kiedy uprościsz przestrzeń mieszkania, na przykład łącząc trzy małe pokoje w jeden duży, pozbywając się wszystkiego, co nie ma konkretnego przeznaczenia, będziesz mieć uczucie, jakbyś zaczęła jeść produkty naturalne po okresie zaspokajania głodu fast foodem. Zrezygnuj ze wszystkiego, co nie funkcjonuje dobrze i prosto. Zwróć się do fachowca, by ukrył wszystkie kable w listwie przyściennej albo pod parkietem. Wymień krany, które cieknąją, hałaśliwe spłuczki, za małą kabinę prysznicową, niewygodny uchwyt. Zlikwiduj wszystkie małe utrudnienia, które zatruwają codzienne życie.

Jedną z wielkich zdobyczy naszej epoki jest zminiaturyzowanie urządzeń telekomunikacyjnych. Zajmują one coraz mniej przestrzeni.

W domu najważniejsze powinny być mieszkające w nim osoby. Szlachetność wszelkich materiałów jest warunkiem komfortu. Zamknij oczy, gdy dokonujesz zakupu. Pozbądź się nagromadzonych wcześniej przekonań, na przykład że kaszmir jest zarezerwowany dla ludzi bogatych. Pled z paszminy zatrzymuje ciepło skuteczniej niż dwie kołdry położone jedna na drugiej, może być przenoszony z pokoju do pokoju, z samochodu do samolotu, jest piękny, wygodny i będzie ci służył lata.

Jeśli chodzi o barwy, doceń monochromatyczność. Kolory męczą wzrok. Czarny, biały i szary to jednocześnie nieobecność i synteza wszystkich barw. Tworzą styl o niezwykłej prostocie, jak gdyby cała złożoność znikła w wyniku destylacji.

Jesteśmy przestrzenią, w której żyjemy

Gdy wprowadzamy się do nowego mieszkania, ubieramy w nie naszą osobowość jak w pancerz czy w muszlę.

To, co pokazujemy światu, często definiuje nasze wnętrze. Jednak wielu ludzi nie zna swojego gustu i nie wie, co przynosi im prawdziwą satysfakcję.

Tworząc otoczenie, odpowiadające naszym najgłębszym aspiracjom, możemy świadomie zharmonizować związek istniejący między naszym wewnętrznym i zewnętrznym ja.

Architekci, etnografowie i socjolodzy zgodnie twierdzą, że to dom kształtuje człowieka i że człowiek podlega wpływowi miejsca, w którym żyje. Otoczenie tworzy osobowość człowieka i ma wpływ na dokonywane przez niego wybory. O wiele lepiej rozumiemy kogoś, gdy widzimy, jak mieszka. Dom nie powinien być powodem zmartwień, dodatkowej pracy, ciężarem, który musimy dźwigać, jarzmem. Przeciwnie, powinien być miejscem, z którego czerpiemy energię.

Angielskie słowo *clutter*, czyli „przepełnienie, gmatwanina, bałagan", pochodzi od słowa *clog*, oznaczającego skrzep. Skrzep może zahamować krążenie krwi, a bałagan przeszkadza we właściwym funkcjonowaniu domu.

Zbyt wiele domów jest podobnych do sklepu ze starzyzną, prowincjonalnych muzeów lub składów mebli. W Japonii przeciwnie, pomieszczenie jest uważane za zamieszkane tylko wtedy, kiedy ktoś w nim przebywa. Gdy ten ktoś wychodzi, nie pozostają po nim żadne rzeczy, żaden ślad egzystencji osoby lub czynności, które wykonywała. Wszystkie przedmioty, którymi posługują się Japończycy, są składane i niewielkie. Po wykorzystaniu wkłada się je po prostu do szafy. Dotyczy to maty do spania, deski do prasowania, stołu do pracy, stolika okolicznościowego, poduszki do siedzenia.

Wnętrza te pozwalają mieszkającym w nim osobom poruszać się swobodnie bez potrzeby pamiętania o obecności innych bytów, należących do tego czy tamtego świata.

Obmyśl minimum dla swojego mieszkania

Stwórz mieszkanie skondensowane, wygodne, praktyczne. Najważniejsza jest wygoda. Często zależy ona od przestronności. Swobodne, rozległe przestrzenie... Skondensowane życie w przypadku mieszkania może być cnotą. Częściowo z konieczności, częściowo ze względów religijnych i etycznych Japończycy dawno temu rozwinęli wysublimowaną estetykę. Zgodnie z jej regułami znaczenie mają nawet najskromniejsze detale, w tym także najmniejsze przestrzenie. Jeśli zostały właściwie urządzone, można nie pamiętać o ich mikroskopijnych rozmiarach.

Ogromną przyjemność sprawiają dobra książka i filiżanka herbaty w doskonale urządzonym kąciku.

Życie wśród bardzo niewielkiej liczby przedmiotów może być idealne. Aby się do niego przyzwyczaić, trzeba osiągnąć pewien stan ducha – przedkładać pustkę nad nadmiar, milczenie nad kakofonię, klasykę i trwałość nad to, co modne i przemijające. Celem jest stworzenie przestrzeni tak dużej, by można się było w niej swobodnie poruszać, także mentalnie. Przeszkody, postrzegane przez większość czasu jedynie podświadomie, wzbudzają uczucie klaustrofobii. Puste, pozbawione ozdób wnętrze może promieniować ciepłem, jeżeli do jego urządzenia wykorzystano naturalne materiały: drewno, bawełnę, korek, słomę.

Mieszkanie może być niewiele większe od dużej walizki podróżnej, która zawiera wyłącznie rzeczy absolutnie niezbędne. I tak jest wówczas bardziej przyjazne człowiekowi niż niezmienna przestrzeń, wypełniona przedmiotami, które przydadzą się pewnego dnia. Czasy się zmieniają. My będziemy musieli zrobić to samo, a więc przystosować się do nowych idei i nowego stylu życia. Miasta są coraz bardziej przeludnione, w przyszłości zapewne trzeba się będzie zadowolić mniejszymi mieszkaniami. Wówczas przyda się wiedza Japończyków, dotycząca tego, jak żyć z pięknie i mądrze na ograniczonej przestrzeni.

Do planów, tworzonych przez architektów, powinien powrócić tak lubiany w XIX wieku buduar. Znajdowałyby się w nim umywalka, garderoba, ściana wyłożona lustrami, sofa, kącik wypoczynku, stolik do prowadzenia prywatnej korespondencji i wreszcie miejsce, gdzie można by było w spokoju zajmować się zabiegami kosmetycznymi. Takie pomieszczenie jest równie ważne jak łazienka. Uzupełnia ją, ponieważ w łazience można dbać o higienę, ale niewygodnie jest tam robić makijaż czy manikiur, ubierać się i rozbierać.

Kilka dobrze wykorzystanych metrów kwadratowych przeznaczonych na buduar mogłoby uczynić cuda.

Pusty pokój

Pusty pozornie pokój może być naprawdę luksusowy, jeśli znajdują się w nim starannie przemyślane detale. Pozwala on swojemu użytkownikowi – podobnie jak przestronna świątynia – na oczyszczenie umysłu.

Przykładem eleganckiej pustki są projekty spod znaku przemysłowego designu lat 60. Chętnie wykorzystywano wówczas chrom i linie proste, uzyskując wrażenie spokoju i porządku.

Wprowadzanie prostoty oznacza czynienie piękniejszym. Osiągnięcie w tym procesie punktu zerowego przynosi poczucie odpoczynku.

Tak, minimalizm jest kosztowny. Łatwiej kupić kilka bibelotów do witryny niż panele ścienne wykonane z rzadko spotykanego drewna. Jednak prowadzenie życia w stylu minimalistycznym wymaga czegoś więcej niż tylko pieniędzy. Potrzebna jest niewzruszona pewność. Życie można podporządkować ładowi i pięknu bez zaniedbywania różnorakich pasji: słuchania muzyki, ćwiczenia jogi, kolekcjonowania starych zabawek lub urządzeń elektrycznych.

Nie traktuj przedmiotu, do którego jesteś w szczególny sposób przywiązana, talizmanu, na równi ze zwykłymi elementami dekoracyjnymi. Czerpiesz z niego osobistą energię. Zarezerwuj więc dla niego szczególne miejsce.

Zdobądź się na eksperyment, nawet gdyby miał on trwać tylko tydzień – usuń z zasięgu wzroku wszystkie bibeloty. Może pustka stanie się dla ciebie objawieniem?

Życie wyłącznie przeszłością, czyli wśród pamiątek, oznacza zapominanie o teraźniejszości i zamknięcie drzwi dla przyszłości.

Piękny i zdrowy dom

W naszym otoczeniu przemawia do nas wszystko. Akceptowanie wulgarnego wystroju pociąga za sobą koszty. Przykładanie wagi do estetyki budzi wrażliwość. Im bardziej zwracamy uwagę na szczegóły, tym większy mają one na nas wpływ. Gdy jesteśmy przyzwyczajeni do lamp z systemem regulowanej intensywności światła, przeszkadza nam wyłącznik, po którego naciśnięciu zostajemy gwałtownie oślepieni. Wszystko, co w domu nie funkcjonuje tak jak powinno, przypomina małe zadrapanie, lekki ból głowy lub ząb, który zaczyna się psuć. Dom jest chory także wtedy, kiedy otwieramy szafy pękające od ubrań i nie znajdujemy niczego, co moglibyśmy na siebie włożyć. Albo kiedy w lodówce znajdujemy przeterminowane produkty, a zapasy w zamrażalniku są pokryte skorupą lodu jak biegun. I wreszcie kiedy żyjemy wśród stosów książek, z których żadna nas nie inspiruje. Zabudowane półki na niezbędne książki, przestronne i niezbyt wypełnione szafy, zamontowane w ścianach i sufitach łagodne oświetlenie – oto mieszkanie, w którym nareszcie można odpocząć. Miejsce, które oddycha i prowadzi nas ku temu, co najważniejsze.

Wprowadź do mieszkania energię

Zapachy, kolory i dźwięki odpowiadają sobie wzajemnie.

Charles Baudelaire

Chińczycy od pięciu tysięcy lat stosują zasady feng shui – nauki o ruchu energii. Są przekonani, że stale ulegamy wpływom świata, w którym żyjemy (pogody, ludzi, przedmiotów), i że to, co stanowi naszą codzienność, ma na nas wpływ, gniewa nas albo cieszy. I kształtuje niezależnie od tego, czy jesteśmy tego świadomi, czy nie. My sami wpływamy na świat zewnętrzny naszą postawą, naszym sposobem chodzenia i mówienia, naszymi działaniami. Nasza energia i aura oddziałują na istoty żyjące i na porządek świata materialnego. Odbieramy więc i wysyłamy czi, rodzaj energii życiowej. Feng shui kładzie przede wszystkim nacisk na czystość pomieszczeń. Gdy otoczenie jest zadbane, myśl staje się jaśniejsza, decyzje bardziej spontaniczne.

Przedpokój powinien zapraszać do wejścia, powinien być jasny, ukwiecony. To, co koncentruje się w przedpokoju, intensywnie przenika do wnętrza domu. Lustro albo obraz o jasnej kolorystyce mogą stanowić przeciwwagę dla półmroku lub ograniczonej przestrzeni. Czi musi krążyć swobodnie po domu, nie może natrafiać na przeszkody.

Wszystko, co pojawia się w domu, jest swego rodzaju pokarmem. Wszystkie przedmioty, wszystkie kolory nadają czi swoją energię.

Kąty ostre odbijają złamane czi. Wskazane jest więc ich łagodzenie, na przykład za pomocą rośliny o okrągłych liściach. Dzięki temu zmieni się ogólna atmosfera miejsca.

Dźwięki, kolory, materiały, rośliny powinny dawać delikatne wzmocnienie energetyczne. Trzeba, by nasz świat pozostawał w doskonałej harmonii z prawami wszechświata. Obserwowanie i zrozumienie podstawowych zasad egzystencji powala nam żyć w zgodzie z nimi, świadomie zrobić dla nich miejsce w naszym życiu. Dzięki temu nie płyniemy już dłużej pod prąd. By móc się cieszyć dostatkiem, przechowuj całe pożywienie w jednym miejscu i staraj się zawsze mieć go tam trochę na zapas. Nigdy nie może pojawić się uczucie braku. Patera na owoce powinna być zawsze pełna, w lodówce nie mogą zalegać zwiędłe jarzyny ani resztki obiadu sprzed trzech dni. Wszystkie ostre narzędzia: noże, nożyczki, powinny pozostawać poza zasięgiem wzroku. Każda chora roślina i zwiędły kwiat muszą od razu zostać wyrzucone. Przyglądanie się powolnemu więdnięciu powoduje nieuświadomioną utratę energii. Wszelkie przeterminowane produkty spożywcze należy usunąć. Chińczycy nigdy nie jedzą resztek, a potrawy przyrządzają wyłącznie ze świeżych produktów. Wiedzą, że od tego zależy ich energia.

Uważają także, że zasuszone kwiaty będą próbowały czerpać energię z otoczenia, starając się ożyć, że wiadro na śmieci umieszczone blisko zlewu będzie przekazywało wodzie złe wibracje. Radiesteci zgadzają się z tym drugim stwierdzeniem.

Zachowanie czystego, pogodnego, wolnego od złej energii czi mieszkania zmieniłoby obraz innych ludzi, jaki sobie tworzymy, nawet jeżeli przebywamy w miejscu odległym od domu o tysiąc kilometrów. Gdziekolwiek jesteśmy, powinniśmy zachowywać doskonałą jedność z naszym mieszkaniem. Wychodząc rano do biura, zostaw dom w idealnym porządku, a dzięki temu twój dzień będzie lepszy.

Czi zależy od przedmiotu, na który przechodzi, od jego formy i materiału. Kurz i brud są ulubionym schronieniem energii czi, znajdującej się w stanie zastoju, niszczącej harmonię. Dywan i wykładzina symbolizują zakorzenienie w materii, wpływają na pomnażanie podstawowych zasobów egzystencji. Ponieważ energia pochodzi z ziemi, wszystkie posadzki w domu i buty muszą być nieskazitelnie czyste. Mieszkańcy Dalekiego Wschodu przed wejściem do domu zdejmują buty.

Nasze czi osiąga największą moc, gdy odnajdziemy naszą wewnętrzną naturę, gdy każda chwila naszego życia zostanie przeżyta w głębokiej zgodzie z istotą, którą jesteśmy w rzeczywistości.

Światło i dźwięki

Poświata księżyca rzeźbi, światło słońca maluje.

przysłowie indyjskie

Światło to życie. Istota ludzka, która jest go pozbawiona, choruje, a czasem popada w obłęd.

Unikaj w mieszkaniu jednorodnego światła. Naturalne światło stale się zmienia. Odsłania lub ukrywa wszystko, co widzimy.

O wiele większy, niż nam się wydaje, wpływ na nasze zdrowie mają dźwięki naszego domu: skrzypiące drzwi, ostry dzwonek telefonu. By zmniejszyć hałas, można naoliwić zawiasy, wybrać telefon z muzycznym dzwonkiem, położyć na podłodze grubą wykładzinę.

Gdy kupujesz urządzenia gospodarstwa domowego, wybierz te, które pracują ciszej. Ucho ludzkie rejestruje rozmowę o natężeniu 60 decybeli. Cierpi, kiedy dźwięki osiągają natężenie 120 decybeli. Po co kupować mikser, który pracując, wytwarza hałas o natężeniu 100 decybeli? Z namysłem wybieraj telefony, budziki, dzwonki do drzwi wejściowych.

Miejsca przechowywania przedmiotów

Właściwe uporządkowanie naszej przestrzeni powinno wynikać ze schematu sporządzonego na podstawie nawet naszych najmniejszych ruchów, podyktowanych koniecznością zaspokojenia podstawowych potrzeb. Zasadniczym czynnikiem, wpływającym na wyposażenie domu, jest jego uporządkowanie. Bez tego nie jest możliwe uzyskanie żadnej pustej przestrzeni.

Charlotte Perriand

W mieszkaniu nie przebywają jedynie istoty ludzkie. Są w nim także przedmioty, czasem zwierzęta. Dlatego należy zaprojektować wystarczająco dużo zabudowanych szaf, by uniknąć bałaganu i nieplanowanego dokupywania szafek, komód, konsolek.

Wnętrza szaf muszą zostać wyposażone w zależności od konkretnych potrzeb. Nie powinniśmy być zmuszeni do używania taboretu za każdym razem, gdy chcemy wyjąć rondel, ani do przemierzania całej kuchni, gdy chcemy schować umytą łyżeczkę. Jeżeli rzeczy nie są uporządkowane, to dzieje się tak dlatego, że nie mają właściwego miejsca, w którym mogą być przechowywane.

Meble służące porządkowaniu przedmiotów powinny być umieszczone jak najbliżej miejsca, związanego z funkcją tych przedmiotów. Na przykład na każdym piętrze domu powinna się znajdować szafa gospodarcza, spiżarnia – w pobliżu kuchni, szafa na bieliznę dzienną i nocną – w łazience, garderoba na odzież wierzchnią, torby, parasole, buty, bagaże gości – blisko drzwi wejściowych. Dlaczego nie planuje się wszystkich tych przestrzeni podczas budowy domu? W czasie pracy, odpoczynku i wykonywania zabiegów higienicznych należy pamiętać o ergonomice.

Przedmioty – co wyrzucić, co zatrzymać?

Mieć tylko podstawowe rzeczy

Jakie są nasze podstawowe potrzeby? Do życia konieczne jest pewne minimum. Pewna liczba przedmiotów, zapewniająca szczęście.

Jednak czasy średniowiecza, kiedy ceniono minimalizm i stawiano na duchowość, minęły. Społeczeństwo, w którym żyjemy, nie ceni skromności.

Znany fotograf po przeprowadzaniu badań na całym świecie policzył i ogłosił, że przeciętny mieszkaniec Mongolii ma trzysta przedmiotów, Japończyk zaś sześć tysięcy. A ty?

Do czego sprowadza się minimum?

Można odpowiedzieć, że minimum to stół, łóżko i świeca w celi klasztornej lub więziennej, jeżeli zapomnimy o przygnębiającej surowości tych miejsc. Ale z pewnością możemy żyć szczęśliwie, jeżeli dorzucimy do tego dwa lub trzy piękne przedmioty. Kilka pięknych rzeczy, by karmić zmysły oraz zaspokoić potrzeby estetyczne, pragnienie wygody i bezpieczeństwa. Jeden zachwycający klejnot, włoska kanapa. Ideałem byłoby mieć jedynie niezbędne przedmioty, mieszkać w wymarzonym miejscu i w nienagannym wnętrzu, mieć wysportowane, giętkie, zadbane ciało oraz być całkowicie niezależnym. Wówczas umysł mógłby pozostać wolny, otwarty na wszystko, czego jeszcze nie znamy. Pierwszą potrzebą każdej istoty ludzkiej jest życie w warunkach pozwalających na zachowanie zdrowia, harmonii i godności. Następną – zadowalająca jakość stroju, pożywienia i standardu otoczenia. Na nieszczęście luksusem stała się wysoka jakość życia.

Rzeczy osobiste

Wszystko, co człowiek ma, powinno się zmieścić w jednej lub dwóch torbach podróżnych: przemyślana garderoba, kosmetyczka, album ulubionych zdjęć, dwa lub trzy przedmioty osobiste. Reszta, to znaczy wszystko, co można znaleźć w domu: pościel, naczynia, telewizor, meble, nie powinna być uważana za własność indywidualną.

Obierz prosty styl życia, a będziesz mogła żyć w spokoju. Zyskasz coś, co ma niewielu ludzi – stan gotowości.

Należałoby się przygotować tak wcześnie, jak to tylko możliwe, do opuszczenia tego świata. Pozostawić po sobie jedynie dom, samochód, pieniądze i kilka pięknych wspomnień. Żadnych srebrnych łyżeczek, misternych koronek, problemów spadkowych, osobistych dzienników.

Wyrzuć niepotrzebne drobiazgi. Powiedz otoczeniu, że jedyną rzeczą, której pragniesz, jest nieposiadanie.

Zamień stare szafy na miękką kanapę, srebra na chromowane urządzenia sanitarne, suknie, których nigdy nie nosisz, na szal z wysokogatunkowej wełny, życie towarzyskie na czas dla prawdziwych przyjaciół, a seanse u psychologa na skrzynkę szampana Moët et Chandon.

Reszta należy już do świata intelektu, ducha, tajemnicy, piękna i uczuć.

Tylko od ciebie zależy, czy zreorganizujesz swoje życie tak, by było radośniejsze. I czy przekonasz do tego samego osobę, z którą dzielisz swój los.

Powiedz „żegnaj" bierności, gromadzeniu, smutnym piosenkom i ponurym ludziom, ponieważ na całe to zbiorowisko martwoty nakładają się warstwy fałszywych wartości, przyzwyczajeń i innych obciążeń. Wszystkie razem zaślepiają, przeszkadzają w koncentracji na tym, co jeszcze mogłabyś zgłębić myślą, sercem czy wyobraźnią.

Myśl wolno, żyj swobodnie i wprowadzaj uproszczenia

> *Żyj w sposób oszczędny i zawsze bądź przygotowany na to, byś mógł w ciągu kilku sekund opuścić swój dom z niemal pustymi rękami.*
>
> Henry David Thoreau, *Walden*

Zawsze bądź czujna i gotowa do zmierzenia się z tym, co nieprzewidywalne.

Sporządź szczegółową listę wszystkich posiadanych przedmiotów. Pomoże ci to w stwierdzeniu, co jest niepotrzebne. Z wyjątkiem kilku ekstrawagancji wszystko, co masz, powinno się sprowadzać do ścisłego minimum i nadawać do przenoszenia przez ciebie samą. Japończycy musieli żyć w taki sposób ze względu na częste pożary, napaści i klęski żywiołowe. Zawsze wybierali swoje dobra z myślą o tym, by móc je zabrać w czasie ucieczki. Miej niewiele. Upewnij się, że wszystko, co masz, jest absolutnie niezbędne i praktyczne w użytkowaniu. Pamiętaj, że ciężar jest wrogiem. Tuaregowie mają wyłącznie lekkie bagaże. Staraj się zastąpić przedmioty, które masz teraz, innymi, o mniejszej wielkości i objętości. Sprzedaj dębowe meble, kup szafy do zabudowy o inteligentnej konstrukcji. Wyobraź sobie, że twoja sypialnia przypomina wschodni namiot albo że twoje mieszkanie jest małym statkiem. Mogłabyś żyć bez mebli we wspaniałym domu mauretańskim, którego całe umeblowanie stanowią wspaniałe dywany, poduszki i tace na herbatę.

Masywne, rozłożyste meble ciążą twojej świadomości tak samo jak barkom robotników z firmy przeprowadzkowej. Na dodatek ograniczają swobodę przemieszczania się we wnętrzu, chyba że mieszkasz w zamku.

Niezależnie od tego, czy chodzi o dębową biblioteczkę, kubek do herbaty, stół kuchenny czy o portmonetkę, staraj się zawsze wybierać przedmioty zgodnie z ich funkcją i z użytkiem, jaki z nich będziesz robić. Pamiętaj o swobodzie, którą powinny zapewnić twoim ruchom.

I pamiętaj o tym, że abyś mogła żyć w stylu minimalistycznym, przedmioty, które masz – nawet te najmniejsze – muszą być piękne i funkcjonalne.

Dom i walizka... Są tylko przestrzenią. Zamykamy w nich najbardziej osobistą własność. Ich zawartość to ostatecznie my sami, wieczni nomadowie.

Natura rzeczy

Powinniśmy pozwolić rzeczom dojrzeć, by poznać ich naturę. Przyzwyczaj się do definiowania, opisywania, oglądania, nazywania, oceny, wypróbowywania... Dzięki temu uświadomisz sobie istnienie nadmiaru. Spójrz wzrokiem krótkowidza na najdrobniejszy szczegół rzeczy, aby nie umknęła ci ani jej jakość, ani wartość. A więc także jej przeciętność lub bezużyteczność. Oderwij się od obrazu rzeczy, który masz w pamięci. Staraj się odpowiedzieć sobie na pytanie, co dają ci naprawdę.

Byt łączy i zawiera w sobie wszystko – gwiazdę zaranną wśród mgły, jaśniejące słońce, imbryk, który jest podobny do imbryka, a nie do słonia – jak ten z dziecięcego rysunku. Powtarzam: im prostszą formę mają przedmioty, tym wyższej muszą być jakości.

Wybieraj należące do ciebie przedmioty, nie ulegaj im

Stary malarz Wang Fo i jego uczeń wędrowali po drogach królestwa Han. Poruszali się wolno, ponieważ Wang Fo zatrzymywał się w nocy, by kontemplować gwiazdy, a w dzień, by oglądać ważki. Nieśli z sobą niewiele, gdyż Wang Fo kochał nie przedmioty, a ich widok – żadna rzecz na świecie nie była dla niego warta wysiłku posiadania. Wyjątek to kilka pędzli, pojemniki z laką i tuszem, zwoje jedwabiu i papieru.

Marguerite Yourcenar, *Opowieści orientalne*

Doceń fakt posiadania niewielu rzeczy. Nikt nigdy nie zbierze wszystkich muszli morskich. A ile w nich piękna, gdy jest ich ledwie kilka! Jak podziwiać przedmioty zgromadzone w wielkiej liczbie, pozbawione duszy i piękna, martwe?

Japończycy są pod tym względem naszymi mistrzami, ponieważ od dawien dawna zwracali uwagę na to, by otaczać się wyłącznie przedmiotami małymi, pozbawionymi ostentacji, przeznaczonymi tylko dla swojego posiadacza, a nie dla całego zgromadzenia. W ten sposób dokonuje się zmniejszenie dystansu psychicznego między rzeczą a jej właścicielem. Każdy przedmiot jest dobrze wykonany, estetyczny, użyteczny, lekki, niewielki, nadaje się do składania, przenoszenia, ma zdolność znikania przed użyciem i po nim w torbie, kieszeni lub nieskazitelnie owinięty w kwadrat jedwabiu. Wartość przedmiotów jest doceniana podczas ich używania w sposób zgodny z przeznaczeniem. Cieszą się one szacunkiem jak naczynia liturgiczne. Japońskim dzieciom wpaja się te zasady niezwykle rygorystycznie.

By starzeć się lepiej, to znaczy zmierzać do celu z coraz mniejszą liczbą bagaży, moglibyśmy czerpać inspirację od Japończyków. Wybrać życie wśród rzeczy, które są absolutnie niezbędne, co nie wyklucza komfortu ani wyrafinowania.

Powszechna inwazja techniki zubaża życie duchowe. Zadowalamy się przeciętnością. Gdyby nasze potrzeby odpowiadały naszym głębokim pragnieniom, otaczalibyśmy się tylko rzeczami wysokiej jakości.

Naucz się poznawać samą siebie, definiować swój gust i jego przeciwieństwo. Gdy widzisz ogród marzeń, zadaj sobie pytanie, jaki dokładnie on jest. Jeżeli jest pełen zieleni i czysty, nie dodawaj do niego rabatki żółtych tulipanów tu i różowego geranium ówdzie. Ogród, który tworzą jedynie różnorodne rośliny liściaste, daje odpoczynek oczom. Regularne klomby są zniewagą dla natury. Zbyt różnorodne rośliny sąsiadujące ze sobą na niewielkiej przestrzeni wyglądają sztucznie i przytłaczają.

Należące do nas dobra materialne powinny służyć naszemu ciału i karmić naszą duszę. Naucz się dokonywania wymagających wyborów, surowej selekcji. Efektem będzie wyższa jakość życia. Szukaj przede wszystkim tego, co najbardziej ci odpowiada, i tego, co nade wszystko lubisz (stroje, meble, samochód). O opakowania i metki troszcz się później.

Ucz się oceniać to, co widzisz. Stopniowo przedmioty tworzące twój świat materialny staną się bliskie twoim rzeczywistym potrzebom i twoim najbardziej osobistym gustom. A wtedy ogarnie cię spokój.

Akceptuj w swoim otoczeniu tylko to, co sprawia przyjemność twoim zmysłom

> *Poświęć czas, by się dowiedzieć, co lubisz, by umieć polubić życie.*
>
> Sarah Ban Breathnach

Liczą się i myśli, i rzeczy. Większość ludzi nie wie dokładnie, co naprawdę lubi ani co odpowiada ich stylowi życia.

Przedmioty są naczyniami zawierającymi nasze emocje, powinny więc nam sprawiać tyle przyjemności, ile dają pożytku. Dokonaj przeglądu i wyrzuć wszystko, co jest brzydkie, nieodpowiednie – przedmioty te wysyłają negatywne fluidy i psują twoje dobre samopoczucie w takim samym stopniu jak hałas czy żywność złej jakości.

Nieustanne życie wśród przedmiotów, które naprawdę nam się nie podobają, wywołuje apatię i smutek. Gdy patrzymy na irytujące nas rzeczy (możemy być tego świadomi lub nie), powoduje to wydzielanie przez system hormonalny toksyn. Ileż to razy mówimy: „To mnie męczy, to mnie wyprowadza z równowagi, to mi odbiera ochotę do życia...".

Natomiast doskonały przedmiot daje poczucie ulgi, bezpieczeństwa i spokoju, którego niczym nie można zastąpić.

Obiecaj sobie, że zatrzymasz tylko te rzeczy, które lubisz. Nie pozwól przeciętności i przeszłości zawojować twojego świata. Miej niewiele rzeczy, ale najlepsze ze wszystkich. Nie zadowalaj się dobrym fotelem, ale kup najpiękniejszy, najlżejszy, najbardziej ergonomiczny i komfortowy.

Nie wahaj się pozbyć przedmiotów, które są jako takie, i zastąpić ich rzeczami doskonałymi, nawet jeśli pociągnie to za sobą wydatki, które wielu ludzi uzna za marnotrawstwo. Jak już wspominałam, minimalizm drogo kosztuje, ale właśnie płacąc tak dużo, zadowolisz się tym co rzeczywiście niezbędne. Popełniając pomyłki w dokonywanych wyborach, odkrywamy to, co naprawdę nam odpowiada. Uczymy się na błędach!

Wybieraj rzeczy użyteczne, solidne, ergonomiczne i wielofunkcyjne

> *To, co dobrze działa, jest miłe dla oka.*
>
> Frank Lloyd Wright

Prostota to doskonałe połączenie piękna z tym, co praktyczne i odpowiednie. Niczego nie powinno być w nadmiarze.

Miej minimalną liczbę przedmiotów wykonanych ręcznie lub przemysłowo, ale wybieraj je tak, aby stały się przedłużeniem twojego ciała, niczym twoi słudzy. Jeżeli butelka dobrze dopasowuje się do kształtu twojej dłoni, używasz jej częściej. A gdy podniesienie jej i użycie zmusza twój nadgarstek do wykonania wysiłku, posługujesz się nią jak najrzadziej. Przejrzystość bezbarwnego szkła pozwala oku natychmiast dostrzec rodzaj zawartości oraz jej ilość.

Dopiero kiedy używamy przedmiotu, odkrywamy jego prawdziwą wartość i jakość. Nie szukaj za wszelką cenę rzeczy wyjątkowych, szukaj rzeczy wiernych, trwałych i nadających się do tego, do czego zostały stworzone. Zanim coś kupisz, dotknij tego, zważ to w ręku, otwórz, zamknij, odkręć, zakręć, przetestuj, sprawdź, poproś o pokazanie, posłuchaj wydawanego dźwięku (budzika, zegara wydzwaniającego godziny).

Wybierz stosunkowo lekką ceramikę, solidne szklanki. „Dobry robotnik powinien być dobrze zbudowany i zdrowy, a przedmiot codziennego użytku – wytrzymały" – tłumaczy Yanagi Soritsu, filozof i kolekcjoner sztuki ludowej. Delikatne albo zdobione przedmioty nie nadają się do codziennego użytku.

Jeżeli chcesz popatrzeć na piękną zastawę, wybierz się od czasu do czasu do eleganckiej restauracji. Dla siebie kup białą, grubą, odporną na stłuczenie porcelanę, komponującą się z wszystkimi stylami i czyniącą jedzenie apetycznym. Jej elegancja może znudzić jedynie amatorów o szczególnych gustach. Koreańskie miseczki *yi*, osiągające w naszych czasach tak wysoką cenę, były kiedyś skromnymi naczyniami do ryżu używanymi przez chłopów. Nie wykonano ich po to, by cieszyły oczy, ale po to, by zaspokajały codzienne potrzeby.

W przypadku przedmiotów użytkowych niedopuszczalna jest ani kruchość, ani zła jakość; użyteczność i piękno idą tu w parze. Przedmioty mające jakąś wadę nie nadają się do użytku, nawet jeżeli są piękne.

Jeśli używanie przedmiotu wiąże się ze strachem przed jego zniszczeniem, ponieważ jest tak cenny, lęk ten psuje przyjemność, którą możemy czerpać z jego posiadania i posługiwania się nim. Wielcy mistrzowie zen znajdują swoje skarby wśród przedmiotów codziennego użytku, rzeczy zwykłych i naturalnych. To tam szukają piękna. Prawdziwe piękno znajduje się bowiem blisko nas, ale go nie dostrzegamy, ponieważ szukamy zawsze zbyt daleko.

Nawet zwykłe przedmioty – imbryk albo nóż – gdy są regularnie używane i zapewniają właścicielowi wygodę, stają się piękne. Wzbogacają codzienność o małe przyjemności, których smak znamy jedynie my sami...

Staraj się przywiązywać więcej wagi do wyglądu niż do piękna, które nazywam ideologicznym (markowych talerzy, bielizny z logo znanych projektantów), i otaczaj się wyłącznie rzeczami stworzonymi po to, by zaspokajały twoje zwyczajne potrzeby, a nie po to, by potwierdzały prestiż czy wzbudzały podziw.

Opowiadaj się za najprostszymi rzeczami wysokiej jakości, które dobrze się starzeją

Otaczaj się najprostszymi przedmiotami. By wyzwolić swoją wyobraźnię, dawaj pierwszeństwo rzeczom wykonanym ręcznie, tradycyjnymi metodami, z wykorzystaniem wiedzy, doświadczenia i mądrości całych pokoleń rzemieślników. Unikaj dzieł artystów, którym często zależy jedynie na sławie i majątku. Kupienie torby wysokiej jakości lub naszyjnika z pereł znanego jubilera może być uznane za snobizm, ale wystarczy wiedzieć, w jaki sposób przedmioty te zostały wytworzone, by zaakceptować ich cenę oraz docenić jakość.

Uciekaj od rzeczy rzucających się w oczy, wybieraj szlachetne materiały: porcelanę o doskonałej i spokojnej bieli, wyroby z laki, których forma i gładkość uzasadniają cenę, tkaniny, których struktura i splot odkrywają naturalne piękno wełny, bawełny czy jedwabiu, wygładzone drewno, prawdziwe kamienie...

Dokonując zakupu, nabywamy zawsze część samych siebie.

Wraz z rozwojem przemysłu straciliśmy umiejętność zwracania uwagi na istotną jakość przedmiotu i jej oceny. Jeżeli nie możesz jeszcze kupić kanapy swoich marzeń, odkładaj cierpliwie grosz do grosza, a wreszcie dasz ją sobie w prezencie. Ale nie kupuj innej, tańszej, byleby tylko jakąś mieć. Grozi ci to, że się do niej przyzwyczaisz – swoim kosztem! Lepiej mieć wspaniałe pragnienia niż przeciętną rzeczywistość. Jakość nie wyraża się ceną. Jakość to odpowiedź na potrzeby twojego organizmu i jego otoczenia. Rzecz wysokiej jakości zawsze łączy piękno z wdziękiem i elegancją. Im bardziej wyciera się szlachetna skóra, tym bardziej staje się miękka i lśniąca. Im dłużej noszony jest tweed, tym lepiej się układa, tym jest przyjemniejszy w dotyku i tym większy komfort zapewnia. Im bardziej starzeje się drewno, tym bardziej oczy i serce postrzegają je jako ciepłe. Natomiast syntetyk wraz z upływem czasu staje się coraz brzydszy, zaczyna cię złościć. Wybieraj materiały, które żyją.

Jakość i luksus

Zbyt wielka liczba rzeczy zabija pojedyncze przedmioty. Nadmiar stymulacji zwraca się przeciw człowiekowi, który nie jest już zdolny do uruchomienia swojej wyobraźni pod wpływem tego, co proste.

Harmonia kolorów oraz szlachetnych materiałów daje odpoczynek oczom i dłoniom.

Kiedy zakosztowaliśmy jakości, nie możemy się już przyzwyczaić do przeciętności.

Ale w społeczeństwie konsumpcyjnym ludzie nie zwracają uwagi na jakość, więc jej nie pragną. Poza tym za jakość trzeba płacić, ponieważ może być wytwarzana tylko w małych ilościach – na tym polega luksus.

Sprzedawca luksusowej galanterii skórzanej zwrócił mi uwagę na fakt, że drobiazgi w ostatecznym rozrachunku kosztują o wiele więcej niż jeden duży przedmiot. Jest drogi, to fakt, ale będzie ci jednak służył przez całe życie i sprawiał przyjemność zawsze, gdy na niego spojrzysz.

Sztuka harmonii

Nie wystarczy mieć niewiele pięknych rzeczy. Trzeba je także zharmonizować z sobą, sprawić, by łączył je jeden styl. W taki sposób stworzą całość.

Styl odzwierciedlający twoją osobowość będzie twoją najlepszą wizytówką.

Prostota polega także na stworzeniu harmonii między minimalną liczbą przedmiotów osobnych a niezbędnych.

Oszczędnie i z prostotą nadaj wartość i styl swojej egzystencji.

Często w dziedzinie estetyki więcej znaczy mniej. Przedmiot jest piękny, gdy został właściwie wyeksponowany, to znaczy występuje pojedynczo i pozostaje w harmonii z całością. Jeden pąk kwiatu w wazonie symbolizuje całą przyrodę, wszystkie pory roku, przemijalność rzeczy...

Imbryk bez filiżanek, filiżanki bez tacy, taca niewspółgrająca ze stylem pomieszczenia zakłócają harmonię i równowagę chwili i miejsca. Wielka rustykalna szafa w stylu Ludwika XV nie jest na swoim miejscu w nowoczesnym mieszkaniu.

Otocz swoje przedmioty przestrzenią i szacunkiem. Zrób jak najlepszy użytek z tej małej liczby rzeczy, które masz. Twój salon nie stanie się bardziej elegancki i komfortowy dlatego, że ustawisz w nim etażerkę pełną porcelanowych figurek. Przedmioty o charakterze wyłącznie dekoracyjnym tworzą wrażenie statyczności, zastygnięcia w bezruchu, braku życia. Rezygnacja z ozdób wzywa do uruchomienia wyobraźni i kreatywności, wzywa do zmiany.

Podpowiem ci coś: jeżeli wszystkie przedmioty są tego samego koloru, stwarzają wrażenie, że jest ich mniej. Na dodatek przynoszą ulgę oczom i stwarzają wrażenie uporządkowanych.

Ubranie – styl i prostota

Styl i prostota

> *Kiedy kobieta czuje się doskonale ubrana, może przestać myśleć o tym aspekcie własnego ja. To właśnie nazywamy wdziękiem. Im bardziej uda ci się zapomnieć o samej sobie, tym więcej masz wdzięku.*
>
> Francis Scott Fitzgerald, *Czuła jest noc*

Styl jest tym, co ubiera myśl. Indywidualny styl potrafi powiedzieć „nie" wybrykom mody. Łączy to, co nosisz, z tym, kim jesteś.

Moda się zmienia. Styl pozostaje. Moda jest spektaklem. Styl jest ostoją prostoty, piękna, elegancji. Modę się kupuje. Styl się ma. Styl jest darem.

Im więcej lat przybywa kobiecie, tym bardziej powinna ona upraszczać swój styl. Można tworzyć swój styl nawet z pewną wystawnością, ponieważ w jakości najcenniejszy jest spokój, który z niej płynie.

Prostota jest kluczem do stworzenia własnego stylu i jest pociągająca. Dotyczy to zarówno kobiety, jak i podłogi, w której odbija się blask płonącego na kominku ognia, niskiego stolika pozbawionego ozdób, na którym stoi tylko kilka prostych miseczek. To, co dotyczy architektury i poezji, dotyczy także stroju. Elegantki nie przypominają choinki. W ciągu dnia noszą dobrze skrojone kostiumy. Wieczorem proste, pełne wdzięku suknie ozdobione jednym, najwyżej dwoma wspaniałymi klejnotami. I pozwalają się oglądać, ponieważ wiedzą, że są tego warte.

A kolory? Wszystko zamyka się w beżu, szarości, bieli i oczywiście czerni...

Mówi się, że kobiety, które noszą czarne stroje, mają barwne życie. Wielki krawiec Yohji Yamamoto tłumaczył swoje zamiłowanie do czerni, mówiąc, że noszenie kolorów wprawia w zakłopotanie innych ludzi, przeszkadza im, jest bezcelowe. Biel i czerń dają nam wszystko. Są absolutnie piękne i pozwalają kierować uwagę ku rzeczom istotnym: kolorowi skóry, włosów, oczu, biżuterii... Wszystko jest lepiej widoczne na tle bieli lub czerni, a czasem beżu i granatu. Unikaj tkanin we wzory, kwiaty, groszki lub pasy, pstrokatych.

By stworzyć urozmaiconą garderobę, najmądrzej jest ograniczyć się do palety dwóch, trzech tonów i dodać do nich dla fantazji kilka ostrożnie wybranych żywych i czystych kolorów.

Skromna, klasyczna garderoba ułatwia zawsze wybór stroju, poza tym oszczędza właścicielce uciążliwego obowiązku przeglądania i wyrzucania nienoszonych ubrań.

Tuzin dobranych strojów, łatwych do zestawiania ze sobą, wystarczy, by wyglądać bez zarzutu w każdej sytuacji.

Kobiety są zmęczone zabieganiem o znalezienie strojów, w których jest im dobrze, staraniem o to, by zawsze wyglądać elegancko, nie tracąc jednocześnie swobody ani atrakcyjności. Wyrzuć wszystko, co jest zdekompletowane, za małe, za stare, za... Noszenie rzeczy, które utraciły świeżość, postarza. Zbyt ciasne lub zbyt luźne ubranie nigdy nie jest eleganckie. Uczyń ze swojej szafy oazę porządku i spokoju. A jeżeli nie musisz jakoś specjalnie ubierać się do pracy lub na wyjście, znajdź dwie lub trzy pary dobrych dżinsów. To arcydzieła wygody, praktyczności i jakości.

Dobrze ubrana kobieta daje dowód nie tylko dobrego smaku, ale także inteligencji, poczucia humoru i odwagi.

Pozostań wierna jednemu stylowi. Wtedy będziesz wiedziała, że go masz. Łatwo się zagubić, gdy starasz się być podobna do zbyt dużej liczby osób.

Każdy dzień stawia przed nami konieczność dokonania wyborów, które nam pomagają zdefiniować siebie jako osobę jedyną w swoim rodzaju. Byłoby idealnie, gdybyś podejmowała decyzje zgodnie z takim obrazem siebie, jaki masz i jaki chcesz pokazać innym. W rzeczywistości ten obraz jest sumą wszystkich szczegółów twojej codzienności.

Styl, pewien styl, nasz styl sprawia, że czujemy się dobrze w swojej skórze. Przypomnij sobie chwile, gdy czułaś się znakomicie ubrana, elegancka i pewna siebie. To dostrzegli również inni. Twoje ubrania i biżuteria, twój wygląd sprawiają przyjemność także osobom z twojego otoczenia... Naszym obowiązkiem jest pozostawić w świecie, w którym żyjemy, piękny ślad.

Czy ty i twoje stroje mówicie tym samym językiem?

Strój jest dla ciała tym, czym ciało dla duszy. Stroje powinny więc odzwierciedlać nasze wnętrze, będąc jednocześnie twarzowymi i funkcjonalnymi. Najpierw zaprojektuj swoją garderobę w myślach, zaczynając od dodatków (butów, torebek), odpowiadających twojemu stylowi. Nie żałuj na to czasu. Niech ta garderoba będzie naprawdę twoja. Strój odzwierciedla to, kim jesteś, kim chciałabyś być, twoją determinację, dyscyplinę, fantazję, twoje przekonania polityczne, twój sposób życia. Mówi o tobie, zanim jeszcze otworzysz usta.

Życie nie jest łatwe. Wymaga odgrywania wielu ról. Kim byłaś dzisiaj?

Nasze stroje stają się podobne do nas, nasz charakter odciska na nich swoje piętno. Podejmują dialog z naszym lustrem, naszą rodziną, naszym otoczeniem i wszystkimi ludźmi, których spotykamy. Dlatego garderoba powinna odzwierciedlać nasz styl w jego czystej postaci.

Fakt, że czujemy się dobrze w swojej skórze, jest brzemienny w skutki. Charakter stroju przenika do naszego wnętrza. Jeżeli przyjmowalibyśmy życie w tak prosty sposób, jak się ono przedstawia, mniej ulegalibyśmy wszelkiej przesadzie.

Bycie dobrze ubraną daje spokój wewnętrzny i zapewnia szacunek. Kiedy ubieramy nasze ciało w zgodzie z naszą duszą, od razu mamy poczucie harmonii. Nasze ubrania mogą być równie dobrze naszymi przyjaciółmi i naszymi wrogami. Mają moc uwydatniania naszej wartości, chronienia nas lub, przeciwnie, tworzenia naszego fałszywego wizerunku. Mają nawet magiczną władzę zmiany naszego zachowania.

Uprość swoją garderobę

Co masz? Czego potrzebujesz? By żyć szczęśliwie, trzeba prostoty, rozsądku, harmonii. Prostota stroju jest tym, co decyduje o jego wartości. Po raz kolejny mniej znaczy więcej.

Wybierz klasyczne stroje, które można nosić przez osiem miesięcy w roku, nadające się do łączenia w różnorodny sposób. Gra fakturą (aksamit, skóra, jedwab, wełna lub kaszmir) jest sprytnym rozwiązaniem.

Zrób przegląd garderoby. Zatrzymaj tylko to, co naprawdę lubisz. Nigdy nie jest za późno, żeby stać się kimś innym. Dziś zbliżysz się do tej osoby o jeden krok. Pozbądź się rzeczy, w których wyglądasz źle, rzeczy nigdy (z trudnych do ustalenia przyczyn) nienoszonych. Pozbądź się oderwanych od rzeczywistości marzeń, zakupów pomyłek, szaleństw, popełnionych w chwili frustracji lub słabości.

Znalezienie idealnego stroju eliminuje nieustanny stres, wynikający z tego, że nie czujemy się swobodnie w ubraniach, które nosimy. Idealny strój pozwoli ci wyjść rano z domu z poczuciem lekkości i w dobrym humorze. Będziesz miała o jedną zatruwającą ci życie rzecz mniej.

„Mało" oznacza wyzbycie się wątpliwości przed szafą pełną ubrań, które są „niezłe" i „niebrzydkie". To, co pozostaje po przejrzeniu szafy, zyskuje na wartości, jest łatwiejsze do zaakceptowania. Większą udrękę sprawia oglądanie codziennie na wieszaku znienawidzonej sukienki niż wyrzucenie jej raz na zawsze do kosza. Wszystkie kobiety mają na koncie błędne zakupy, które rujnują ich elegancję. Dwadzieścia procent naszej garderoby nosimy przez osiemdziesiąt procent czasu. Reszta jest mało twarzowa, niewygodna lub zniszczona. Nie zatrzymuj tego, co teraz na ciebie nie pasuje, ponieważ przytyłaś. Jeżeli stracisz dziesięć kilogramów, z pewnością będziesz chciała stworzyć swój nowy wizerunek. Przemyśl każdy strój i to, jak dobrać do niego dodatki (rajstopy, oryginalny pasek, naszyjnik z pereł). Nie noś spódnicy od kostiumu ze swetrem, tenisówek do skórzanej torebki. Pomyśl o każdym ze swoich zajęć i odpowiednich do nich strojach. Sporządź listę rzeczy, których ci brakuje.

Pytanie: co powinnaś mieć?

Odpowiedź: prawdziwe stroje.

Pozbądź się wszystkiego, co zmienia się z sezonu na sezon. Strój powinien być wystarczającej dobrej jakości, by być noszony i prany dziesiątki razy, nie deformując się ani nie filcując.

Miej kilka podstawowych elementów: spodnie z cienkiej wełny, tweedową marynarkę na zimę, jedną lub dwie lniane marynarki na lato i na sezony przejściowe, dobry płaszcz, różne bluzki, swetry i podkoszulki.

Postaraj się mieć co najmniej trzy doskonałe stroje do noszenia na trzy podstawowe okazje (praca, weekend, wyjście). Jeżeli spędzasz dużo czasu w domu, odpowiednio do tego skomponuj swoją garderobę. Gdyby zginęła ci podczas podróży samolotem walizka, jak zdarzyło się to mnie w czasie lotu do Kalifornii, co kupiłabyś ponownie?

Możesz przeżyć kilka miesięcy z garderobą, która składa się jedynie z:

• siedmiu strojów wierzchnich (marynarki, kurtka, prochowiec, płaszcz),

• siedmiu gór (swetry lub polo, podkoszulki, bluzki),

• siedmiu dołów (spodnie, dżinsy, spódnice, sukienki),

• siedmiu par butów (mokasyny, czółenka, sandały, sportowe, kozaczki, buty do chodzenia w domu),

• kilku dodatków (paszmina, apaszki, paski, kapelusze, rękawiczki).

Bielizna osobista i bielizna nocna powinny stanowić odrębną całość, równie przemyślaną jak reszta.

Po co przechowywać bezkształtne koszule nocne, których nigdy więcej nie włożysz, i zapas rajstop? W tych szczegółach przejawiają się dyscyplina, rozsądek i kobiecość.

Zakupy, budżet i dbanie o garderobę

> *Elegancki sklep jest miejscem głoszenia kultu ciała, piękna, flirtu i mody. Kobiety idą tam, by spędzić czas niczym w kościele. W sklepie stają się egzaltowane, walczą z typową dla siebie pasją o pieniądze swoich mężów i o stroje, zmagają się z dramatem życia, rozgrywającym się ponad i poza sferą piękna.*
>
> Emil Zola, *Wszystko dla pań*

Eleganckie stroje, staranny makijaż wysyłają fale pozytywnej energii. Kobieta powinna myśleć przede wszystkim o swoim zdrowiu, urodzie i finansach. Nie bądź bierna. Możesz się zmienić. Możesz stać się promienna. Zdobycie wiary w siebie kosztuje trochę czasu, wymaga zadbania o siebie i rozbudzenia miłości własnej.

Przeznaczaj co miesiąc pewną kwotę na stroje, tak jak na kupno żywności czy na edukację dzieci. Bycie dobrze ubraną nie jest luksusem, tylko elementem harmonijnego, zrównoważonego życia. Ubranie jest twoim opakowaniem i nie powinnaś czuć się winna z tego powodu, że chcesz stworzyć jak najlepszy wizerunek siebie.

Komunikuj, czego pragniesz i czego potrzebujesz. Następnie pomyśl o cenie.

Stroje, których kupno wiąże się z dużym wydatkiem, powinny być noszone często i długo. Im są droższe, tym częściej powinny być używane.

Wybieraj raczej rzeczy klasyczne, marki, które się sprawdziły, materiały łatwe do utrzymania w czystości. Ludzie bogaci opanowali sztukę inwestowania w klasykę. Zacznij od pary czarnych butów ze skóry, nadających się do noszenia ze wszystkimi strojami.

Gdy decydujesz się na zakup jakiegoś ubrania, upewnij się, że nadaje się ono do noszenia co najmniej z pięcioma innymi, które już masz. Stosuj tę zasadę przy wszystkich zakupach. Nigdy nie kupuj niczego pod wpływem impulsu, na przykład z powodu wyprzedaży. Uporządkuj swoje ubrania. Przetrwają dłużej, gdy zostaną właściwie poukładane lub powieszone, będą regularnie wietrzone i prane. Ubrania nienoszone w danej porze roku zawsze trzymaj w jednym miejscu, nieco z boku. Unikniesz dzięki temu bałaganu. Szanuj swoje stroje, tak jak szanujesz swoje ciało. Perfumuj szafy, chroń wełnę przed molami, wkładając ubrania do hermetycznych toreb (kawałek pachnącego mydła włożony do takiej torby to dodatkowe zabezpieczenie). Zainwestuj w dobre wieszaki z drewna. Wyrzuć te, które dostałaś w pralni chemicznej czy przy zakupach. Podobne do siebie wieszaki (rozmiar damski i męski oddzielnie) nadadzą twojej szafie luksusowy wygląd. Sprawią ci dodatkową małą przyjemność zawsze, gdy będziesz zmieniać ubranie. Stuk uderzających o siebie drewnianych wieszaków zachwyca mnie nieustannie.

Torby podróżne

Biedny podróżny to taki, który ma wiele bagaży.
przysłowie angielskie

Zabieranie w podróż zbyt wielu walizek albo jednej bardzo ciężkiej oznacza marnowanie czasu i pieniędzy (przechowalnia, taksówki, problemy z noszeniem, długie czekanie po zakończeniu lotu). Ani w domu, ani w podróży nie wahaj się wywiercić otworu w rączce szczoteczki do zębów, jeżeli dzięki temu będzie choć trochę lżejsza.

Weź w podróż uniwersalne mydło w tubce (do mycia włosów, pod prysznic i do prania), olej roślinny o wielu zastosowaniach (do twarzy, paznokci, włosów, ciała), wilgotne chusteczki do demakijażu zastępujące torebkę waty i flakony z mleczkiem kosmetycznym i z tonikiem. Trzy torby powinny wystarczyć: torba podróżna, większa torba na co dzień i mała torebka na wyjścia. No i oczywiście twój bezcenny kuferek!

Kuferek

Jedną z przyjemności dbania o urodę jest używanie pięknych przedmiotów: flakonów, słoiczków, kosmetyczek, saszetek... Kuferka używamy i podczas podróży, i na co dzień. Jest on najważniejszy wśród tych nielicznych przedmiotów, które mamy. Pomaga stawić czoło nieprzewidywalnemu. Kuferek jest sekretnym ogrodem kobiety, jej wiernym sługą. Przechowuje w nim ona lekarstwa, kosmetyki, biżuterię, przedmioty najbardziej osobiste. Dzięki niemu może w każdej chwili w trzy minuty otworzyć drzwi i wyjść lub wyjechać na weekend, nie zapominając kremu do opalania czy pęsety do depilacji.

To kuferek otworzysz jako pierwszy w pokoju hotelowym. Szukanie szczoteczki do zębów na dnie walizki po piętnastu godzinach lotu nie jest przyjemne. A miejsce, które zajmują w walizce wszystkie te buteleczki, suszarka do włosów, etui z przyborami do szycia, narzędzia do manikiuru... Ponadto kuferek pomaga mieć zawsze tylko tyle, ile się w nim mieści.

Torebka – twój wszechświat

Każdy dzień jest podróżą, a wszystko, czego podczas niej potrzebujesz, znajduje się w twojej torebce: klucze, pieniądze, telefon, notes adresowy, kosmetyki i przybory do makijażu, lekarstwa, fotografie... Twoja torebka jest częścią ciebie. Spędza z tobą więcej czasu niż jakiekolwiek ubranie. Trzeba więc ją właściwie wybrać.

Zawartość torebki dużo mówi o tym, czego kobieta nie chce pokazać, o jej bałaganiarstwie, pedanterii, fantazji, niedbalstwie, łakomstwie, kokieterii, czystości, niechlujstwie, skłonności do kłamstwa...

Niektóre kobiety chowają się za swoją torebką. Czynią z niej atrybut statusu społecznego. Jest ona ich sekretnym ogrodem. Wybierz ją właściwie – piękną (tak piękną, że nie będziesz jej chciała zmieniać co rano), lekką (nie więcej niż półtora kilograma, gdy jest pełna), z dobrze pomyślanymi kieszeniami (by uniknąć szukania przez dziesięć minut chusteczek higienicznych lub biletu kolejowego) i wysokiej jakości.

Zakup dobrej torebki jest mądrą inwestycją. Lepiej mieć jedną torebkę na lata niż dziesięć na sezon.

Miej jedną torebkę, ale umiej ją nosić z elegancją na wszystkie okazje.

Spraw sobie torebkę, która przez lata będzie ci dawać przyjemność i wiernie służyć. Torebka jest twoją najbliższą towarzyszką. Manifestuje coś więcej niż tylko twoją osobowość. Kobieta nosi w torebce swój świat i swój styl życia. Torebka pełni funkcję dekoracyjną, ochronną, społeczną. W sensie metaforycznym jest bardzo pojemna. Odzwierciedla aspiracje kobiety i jej zajęcia, ukrywa jej marzenia i sekrety. Jest jedynym prywatnym obszarem kobiety, do którego mężczyźni nigdy nie mieli i nie będę mieli prawa (niedyskretnego) wglądu. Jest częścią jej tożsamości. Oczywiście korzystanie z tego, co w życiu najlepsze, nie ogranicza się do torebki, ale ma ona w tym swój udział.

W latach 50. XX wieku kobieta inwestowała w dobrą torebkę i parę pasujących do niej butów. Wybierała w sposób przemyślany konkretny model i w ten sposób tworzyła swój indywidualny styl, ponieważ nie istniała jeszcze wówczas moda *prêt-à-porter*.

Oczywiście nie wszystkie kobiety mogą sobie pozwolić na noszenie strojów *haute couture* – ze względu na wielkość zarówno swojego ciała, jak i swojego budżetu. Ale torebka nigdy nie wymaga od właścicielki idealnej figury. A dodaje maksimum wdzięku przy minimum kosztów. Inną jakość tworzy połączona z prostą sukienką, a inną – z kostiumem. Jej kolor może zrównoważyć obraz sylwetki.

Istnieje mnóstwo stylów torebek, ale klasyczne modele (na przykład Kelly Hermèsa) trwają, jakby ich egzystencja została mocno zakotwiczona w podświadomości kobiet i jakby nic nie mogło ich stamtąd usunąć. W naszych czasach kobieta spędza coraz więcej czasu poza domem, musi zatem więcej ze sobą nosić. Powinna starać się wybrać torbę z solidną podszewką (na przykład z moleskinu) i licznymi kieszeniami. Każda inteligentnie zaprojektowana torebka ma oddzielne przegródki na puderniczkę, telefon komórkowy, okulary, dokumenty i karty, klamrę na pęk kluczy... Pozwala to zrezygnować z noszenia kosmetyczki oraz rozmaitych etui i futerałów, które swoje ważą.

Jeżeli życie wymyka się nam spod kontroli, torebka może pomóc wrócić w jednej chwili do naszego świata, do miejsca, w którym wszystko jest porządkiem, luksusem i przyjemnością.

Dobra i piękna torebka powinna:
• być równie piękna na zewnątrz i wewnątrz (np. torebki marki Launer, należące do królowej Elżbiety),
• mieć swoją cenę (wysoka jakość), ale wyglądać zwyczajnie (np. torebki Olega Cassiniego, które nosiła Jackie Kennedy),
• odgrywać rolę przedmiotu dekoracyjnego i stanowić elegancki akcent, stojąc na kanapie lub u twoich stóp,
• pełnić funkcję modnego dodatku,
• być miękka w dotyku i nie ocierać ręki,
• sprawiać sekretną przyjemność przy każdym użyciu,
• przybierać różny, ale zawsze pociągający wygląd (po trzech, siedmiu, dziesięciu latach); dobra torebka powinna przetrwać kilkadziesiąt lat (wysokiej jakości

skóra i wykończenie); nowa torebka nie jest naprawdę piękna – cierpliwości!

• być wystarczająco neutralna, by harmonizować z całą twoją garderobą (wyjątkiem jest wieczorowa kopertówka, noszona jako biżuteria),

• być wykonana z elastycznej skóry zwierząt hodowanych w dobrych warunkach i dobrze odżywianych, która patynuje się z czasem (unikaj skór powlekanych),

• być odporna na deszcz,

• mieć pasek dość długi, by można ją było nosić na ramieniu, i dość krótki, by można ją było trzymać w ręku,

• być wyposażona od spodu w ćwieki, aby można ją było położyć na podłodze bez obawy, że się poplami,

• być dostosowana do twojego rozmiaru jak płaszcz lub kapelusz: zbyt mała torebka sprawia, że kobieta wydaje się grubsza niż jest w rzeczywistości, zbyt duża ją przytłacza,

• nie mieć ostrych rogów, które zabijają kobiecość i łagodność, ani nie mieć zbyt okrągłego kształtu, bo jest on przyczyną bałaganu,

• nie ważyć więcej niż półtora kilograma, gdy jest pełna,

• mieć ładną zawartość – to detale (spatynowany notes, mała portmonetka, nieskazitelnie biała chusteczka z monogramem) stanowią o twojej klasie.

2. Korzyści wynikające z minimalizmu

Czas – trać go mniej, by więcej i lepiej z niego korzystać

Dzień dzisiejszy jest naszym najcenniejszym dobrem

> *Jeden dzień jest wart więcej niż góra złota. Jeżeli*
> *nienawidzisz śmierci, trzeba kochać życie.*
>
> Urabe-no Kaneyoshi, *Tsurezuregusa*

Każdy kolejny dzień jest jedyną rzeczą, którą naprawdę mamy. Nasze życie to dziś; nie wczoraj, nie jutro. Czas jest świętym teraz. Jeżeli nie potrafimy korzystać z chwili obecnej, nie uczynimy tego także w hipotetycznej przyszłości.

Ważny jest jednak nie tylko fakt, że mamy czas. Ważna jest także jakość chwili.

Nie wpadaj w pułapkę myślenia, że jeżeli teraz nie zajmujesz się tym, czym chcesz, potem będzie już za późno. To, co robisz teraz, przygotowuje cię do tego, co będziesz czynić w przyszłości. Wszystko się kumuluje.

Ludzie pragną mieć czas, a następnie próbują go zabić

Życie dało nam wszystkim w tej czy innej chwili momenty, gdy wszystko, co robiliśmy, miało przejrzystość kryształu i kolor bezchmurnego nieba.

Anne Murray Lindenberg

Jeśli bywają chwile, gdy wydaje ci się, że jesteś bezczynna i masz zbyt wiele czasu, postaraj się zrozumieć, co dokładnie dzieje się w twoim wnętrzu, i staraj się to nazwać. Będzie to pierwszy krok w kierunku wyjścia z tego stanu.

Często skarżymy się, że marnujemy i tracimy czas albo że nie mamy go wystarczająco dużo... Człowiek powinien umieć czekać dwie, trzy godziny na pociąg – sam, nie robiąc niczego, nawet nie czytając, a jednak się nie nudząc. Życie staje się o wiele przyjemniejsze, gdy opanujemy umiejętność zagłębiania się w swoich myślach. To cenny dar, wyzwalający niezwykłą radość. Spędzamy zbyt wiele czasu na żałowaniu przeszłości, zastyganiu w teraźniejszości lub niepokojeniu się o przyszłość. Marnujemy tyle godzin...

Jednym z najskuteczniejszych sposobów, by skorzystać z każdej chwili, jest zajęcie się swoimi sprawami. Staraj się robić sama tyle, ile to możliwe. Ludzie są często smutni lub przygnębieni, ponieważ nie mają nic do zrobienia. Co rano podziękuj dniowi, który się zaczyna. Nieważne, czy jest on piękny, czy nie. Liczy się to, co ty z nim zrobisz.

Zrób sobie przerwę

Nigdy nie jest zbyt późno, by nie robić nic.

Konfucjusz

Weź urlop. Organizuj sobie trzydniowe weekendy. Zaszyj się w spokojnym miejscu, z dala od mediów, pośpiechu i wszelkich innych potencjalnych źródeł zmartwienia. Szukaj noclegu w miejscu, gdzie możesz także jadać, to sprzyja kontemplowaniu w samotności. Zgromadź informacje na temat różnych miejsc, które mogą odpowiadać różnym twoim nastrojom. Niech czekają na moment, gdy będziesz tak zmęczona, że podejmowanie decyzji cię przerośnie, a jednocześnie będziesz marzyć o podróży dla odpoczynku. Gdy wyjeżdżasz w takim właśnie momencie, zabieraj mało rzeczy. Zbyt wielki bagaż zniszczyłby spontaniczność wyprawy i prostotę twojego pokoju. Wystarczą ci ubranie na zmianę, szczoteczka do zębów, pióro i notes. Nie myśl o niczym. Większość czasu zbytnio się martwimy rzeczami, które do nas należą, i jesteśmy nimi nadmiernie zaabsorbowani. Trzeba spędzić wakacje także daleko od nich...

Możesz również czasem wstać nieco wcześniej, zjeść śniadanie w miłej kawiarni lub przygotować minikoszyk piknikowy, by po pracy gdzieś w parku podziwiać zachód słońca.

Zmiana prędkości od czasu do czasu pomaga nie pogrążać się w rutynie, przeżywać każdą chwilę intensywniej.

Czyniąc swoje życie prostszym, zyskujemy więcej energii; dzięki temu możemy łatwiej stawić czoło osobom i sytuacjom. Gdy mamy mało, chwila obecna jest intensywna; doceniamy to, co nas otacza – mniej do zrobienia, więcej czasu na myślenie, marzenia lub lenistwo. Naucz się spędzać czasem cały dzień w domu, czytając wiersze, gotując, paląc kadzidło, pijąc wino i wieczorem patrząc na księżyc. Uczyń mniej skomplikowanymi prace domowe, rozwiń swoją kreatywność, dbaj o swoje ciało i podtrzymuj swoje zdolności umysłowe.

Rozkosze lenistwa

> *Piję herbatę, jem ryż. Pozwalam czasowi przemijać, podziwiając potok, który płynie w dole, i patrząc w górę na wysokie szczyty. Jaka wolność, jaki spokój!*
>
> anonimowy taoista

Lenistwo powinno być luksusem, a nie formą bierności. Powinno być cenione, degustowane, akceptowane – jak dar niebios, jak skradziona chwila.

Jeżeli mamy niewiele rzeczy i wykażemy się odrobiną umiejętności organizacyjnych, lenistwo może się stać naszym przywilejem. Na ogół zbyt wiele jest wokół nas rzeczy, o które musimy zadbać. Nauczmy się więc na nowo odkrywać stan gotowości, który zyskujemy, oszczędzając czas poświęcany zwykle przedmiotom.

Wielu ludzi daje się pochłonąć namiętnościom, które w istocie są rodzajem bierności. Ludzie ci starają się uciec od samych siebie. Z najwyższą formą aktywności mamy do czynienia wtedy, kiedy ktoś zasiada, by kontemplować swoje doświadczenia i swoją naturę.

By oddawać się takiej kontemplacji, trzeba być wewnętrznie wolnym i niezależnym.

Żyj z obudzonymi zmysłami

Kiedy odczuwam na to ochotę, idę zaczerpnąć
krystalicznej wody z rzeki i przygotowuję posiłek.
Zachwyca mnie woda płynąca kropla po kropli.
Siedząc przy moim małym ognisku, jestem w do-
skonałym nastroju.

Bashō, *Dzienniki z podróży*

Podstawą buddyzmu, taoizmu, jogi jest nauczenie się życia z całkowicie jasnym umysłem. O takim życiu mówią także dzieła licznych myślicieli i artystów: Ralpha Waldo Emersona, Henry'ego Davida Thoreau, Walta Whitmana, amerykańskich Indian z plemienia Nawaho...

Taka postawa pozwala odkryć niezmierzone pokłady kreatywności, inteligencji, determinacji i mądrości. Życie w sposób pełny zakłada całkowite pobudzenie umysłu, zawsze wolnego i otwartego.

W zen istotne jest stopienie się w jedno z najmniejszym nawet zadaniem. Mamy się koncentrować na wszystkim, co robimy: słuchaniu muzyki, czytaniu, oglądaniu krajobrazu. Kiedy żyjemy w chwili obecnej, nie czujemy zmęczenia – ludzie są zwykle bardziej przygnębieni myślą o tym, co mają do zrobienia, niż tym, co robią w rzeczywistości. To dlatego osoby leniwe często są smutne. Udowodniono, że bezczynność spowalnia metabolizm i powoduje spadek ciśnienia.

Ponieważ mimo wszystko trzeba żyć i to w sposób godny, należy wykonywać każdą pracę bez zadawania sobie zbędnych pytań.

*Uczyń ze swoich powtarzających się obowiązków
ćwiczenie koncentracji*

Należy się obawiać nie przyszłości, ale chwili, której obecnie pozwalamy przeminąć. By nie minęła ona bezowocnie, wystarczy rozwinąć umiejętność koncentrowania się i odrzucać wszelkie przeszkadzające nam myśli. Zajęcie, któremu się oddajemy w danej chwili, powinno być jedynym ważnym. Działaj wolno, koncentrując się na „tu i teraz". Zdolność zmiany jakości danej chwili jest jednym z najcenniejszych darów. Chwila obecna jest zalążkiem kolejnych chwil.

*Bądź zawsze gotowa do stawienia czoła temu,
co nieprzewidywalne*

W świątyniach zen bonzowie gromadzą się co wieczór, by omówić posiłki na następny dzień. Ich zdaniem wszystko powinno zostać przemyślane wcześniej, nawet jeżeli to, nad czym się zastanawiamy, pozostanie tylko celem.

Czujemy się o wiele spokojniejsi, kiedy jesteśmy przygotowani na wszystko, co może się nam przytrafić: niespodziewana wizyta przyjaciela, deszcz z jasnego nieba, nagła choroba lub zaproszenie na przyjęcie przysłane za pięć dwunasta. To najlepszy sposób na pełne przeżywanie chwili obecnej.

Opowiadano mi historię Japonki cierpiącej na chorobę, która mogła w każdej chwili zmusić ją do pójścia do szpitala. Ta kobieta przez dwadzieścia lat co wieczór przygotowywała się do opuszczenia domu. Kładła się spać dopiero wtedy, gdy ugotowała posiłek na następny dzień, wyprasowała i ułożyła bieliznę, wykonała prace domowe, a swoją małą torbę podróżną roztropnie położyła przy drzwiach. Pragnęła ona przede wszystkim, by jej pójście do szpitala nie sprawiło najmniejszego kłopotu rodzinie. Był to jej sposób na zaakceptowanie losu z takim spokojem, na jaki tylko mogła się zdobyć.

Spraw, że najprostsze zajęcia będą uświęcone, wzbogać swoje życie o rytuały

> *Rytuał sprawia, że dzień różni się od innych dni, a godzina od pozostałych godzin.*
>
> Antoine de Saint-Exupéry

Można podnieść do rangi *sacrum* czynności tak proste, jak jedzenie, rozmowa czy domowa krzątanina.

Niech stanie się rytuałem poranny łyk kawy, robienie makijażu, oglądanie okien wystawowych, kupno upragnionego od dawna przedmiotu, oczekiwanie na kroki ukochanych osób na schodach, snucie marzeń w deszczową niedzielę, oglądanie filmu z miseczką wyłuskanych owoców granatu pod ręką, podejmowanie w poniedziałkowy poranek postanowień na nowy tydzień.

Wyobraź sobie, że żyjesz jak bohaterka filmu grana przez Grace Kelly. Sprawy toczą się normalnym trybem i nagle masz wrażenie, że wszystko zatrzymuje się na moment, w chwili gdy nonszalancko wyjmuje ona ze swojego neseseru przypominający mgiełkę negliż.

Jakie są twoje rytuały? Co ci dają?

Montaigne mawiał, że życie przeżywane w pełny sposób w chwili obecnej jest wzbogacone i nasycone rytuałami. Dodają nam one otuchy, kiedy uginamy się pod ciężarem presji i wymagań życia codziennego. Jakość życia jest głównie kwestią świadomości. Tylko od nas zależy zmiana naszego otoczenia i nadanie osobistego charakteru szczegółom naszych rytuałów. Umiejętność szczęśliwego życia jest nawykiem, a rytuały pomagają opanować tę umiejętność. Kiedy nadajemy rytuałom znaczenie i wdzięk, wzbogacają wszystkie inne sfery, przynosząc satysfakcję, spokój i ład oraz tworząc aurę tajemnicy. Uświęcają one codzienność, nadają inny wymiar naszemu światu.

Nie czuj się winna, że nie pielęgnujesz niektórych rytuałów. Jeśli ci ich nie brakuje, gdy są zaniedbywane, znaczy to, że nie dawały ci tyle szczęścia, ile myślałaś, że dadzą.

Rytuał powinien przynosić ci wyłącznie satysfakcję. Jeżeli tak jest, ceń go i praktykuj z możliwie największą gorliwością i entuzjazmem.

Kilka propozycji rytuałów

RYTUAŁ PISANIA

Mam własne rytuały, drobiazgowy scenariusz, swoje pióra, specjalny papier, wybraną porę dnia, określone ułożenie przedmiotów wokół mnie, kawę o odpowiedniej temperaturze....

Dominique Rolin

Czynność pisania może zostać uświetniona przez urządzenie pomieszczenia, gatunek papieru i rodzaj atramentu, wygląd i format notatek, wygodę fotela lub półmrok otaczający oświetlone biurko.

Rytuał organizatora

Niezbędny, ściśle osobisty i najbardziej praktyczny przedmiot to terminarz wielkości biblii typu filofax. Koniec z porozrzucanymi ważnymi notatkami, zagubionymi rachunkami czy przepisami kulinarnymi! Nie ma już fruwających karteczek ani notatników, które poniewierają się przy telefonie. Terminarzowi powierzasz swoje ulubione cytaty, notatki z lektur, karty płatnicze, paragony i najbardziej ekscentryczne pomysły. Terminarz porządkuje wszystkie elementy twojego życia, a dzięki swojej strukturze jest elastyczny i odnawialny. Jego wielkość nie pozwala mu pozostać niezauważonym, a jednak wślizną się do torby, kiedy wychodzisz. Jest on kwintesencją dobrej organizacji.

Rytuał kąpieli

Wybierz minimum produktów najlepszej jakości do pielęgnowania twarzy, włosów i ciała. Wszystko, czego potrzebujesz, powinno być gotowe, zanim wejdziesz do wody: muzyka, świeca, szklanka gazowanej wody, ubrania, które włożysz później, nawet biżuteria. Wychodząc z łazienki, pozostaw ją w nieskazitelnym stanie, by mieć wrażenie absolutnej czystości.

Rytuał zakupów

Gdy idziesz na zakupy, wzbudź w sobie zmysł myśliwego, który szuka tego, co najlepsze – świeżość i jakość produktów spożywczych są dwoma niezbędnymi warunkami odczuwania przyjemności jedzenia oraz zachowania zdrowia. Robienie zakupów wymaga wyobraźni, rozsądku i entuzjazmu. Spraw, że wszystkie szanse będą po twojej stronie, biorąc piękny i wytrzymały kosz, portmonetkę z pieniędzmi przeznaczonymi na domowe wydatki, listę zakupów. Znalezienie dobrej jakości nieprzetworzonych produktów, smacznych owoców, prawdziwego chleba, uczciwych sprzedawców wymaga czasu i wytrwałości.

Rytuał kwiatów

Moc kwiatów… Raz w tygodniu kup kwiaty, by radość zagościła w twoim domu i w twojej duszy, nawet jeżeli ten rytuał skonkretyzuje się w postaci róży na nocnym stoliku czy bukietu złotych pąków w łazience. Kwiaty wnoszą do domu świeżość, mówi się także, że pomagają obniżyć poziom adrenaliny w momentach stresu. Podobnie jak owoce i świeże powietrze są niezbędne dla naszego dobrego samopoczucia.

Każda rzecz w swoim czasie

Na urodziny podaruj mi jeden piękny kieliszek do szampana marki Baccarat albo Lalique. Nie chcę mieć rzeczy ani być za nie odpowiedzialna. Chcę jedynie, by były pod ręką, gdy ich potrzebuję. Poprzestanę na wyborze

*pięknego sznura pereł na szyję. Powiem przyjaciołom, że
nie chcę prezentów, które są bardziej trwałe niż butelka
Taittingera czy bukiet fiołkowych róż. Nie chcę rzeczy,
chcę chwil.*

pewna aktorka amerykańska

Codziennie wybierz się na półgodzinny spacer.

Kiedy tylko możesz, urządzaj sjestę, nawet w biurze chociaż przez pięć minut.

Oglądaj album ulubionych zdjęć. Jest w nich zatrzymane twoje życie, ukazują ci one to, co składa się na ciebie, miejsca i ludzi, którzy cię stworzyli, zmienili, kochali. Oglądanie zdjęć jest stawaniem się sobą na nowo.

Poświęć piętnaście minut w ciągu dnia na zajęcie, które jest ci miłe (czytanie, przygotowanie do podróży, rysowanie drzewa genealogicznego).

Rób tylko jedną rzecz naraz.

Naucz się mówić „nie" z wdziękiem i stanowczością.

Telefon odbieraj powoli.

Żyj w wolniejszym tempie, mniej pracuj.

Nie zgadzaj się na godziny nadliczbowe, a jeżeli to możliwe, pracuj na pół etatu.

Unikaj rutyny (jeżeli zwykle pijesz kawę, wypij herbatę, zmieniaj trasę drogi powrotnej z pracy do domu).

Miej mało.

Ułóż harmonogram prac domowych, posługując się kalendarzem.

Pogrupuj rzeczy, które musisz kupić w danym tygodniu, w zależności od rodzaju sklepu.

Zachowaj blat biurka wolny od wszelkich papierów z wyjątkiem tych dotyczących spraw do załatwienia w najbliższym czasie. Stos dokumentów, na który patrzysz cały czas, ciągle przypomina ci, co masz do zrobienia, wywołując stres i niepewność. Szybko odpowiadaj na korespondencję i nie pozostawiaj spraw niedokończonych.

Pieniądz – nasz sługa i nasz pan

Pieniądz to energia

> Tworzenie po to, by móc oszczędzać, jest kołem napędowym hojności.
>
> Ralph Waldo Emerson

Nasze życie się komplikuje, ponieważ nie przypisujemy pieniądzowi takiego znaczenia, jakie ma on w rzeczywistości. Powinniśmy starać się zrozumieć jego wpływ na każdy aspekt naszego życia. Pomyśl o związkach istniejących między pieniądzem a naturą, ideami, przyjemnościami, szacunkiem dla samego siebie, mieszkaniem, otoczeniem, przyjaźnią, społeczeństwem... Pieniądz ma związek ze wszystkim.

Pieniądz jest siłą, która kształtuje nasze życie – czy tego chcemy, czy nie. Gdy krew krąży w naszym ciele bez przeszkód, oznacza to, że cieszymy się zdrowiem. Kiedy w naszym życiu dokonuje się swobodny przepływ pieniędzy, jesteśmy w dobrej formie ekonomicznej.

Oczywiście, kiedy jesteśmy zmuszeni do nieustannego liczenia pieniędzy, bo mało zarabiamy, jest to trudniejsze. Ale czy potrafimy właściwie korzystać z naszych zasobów? Na przykład kupienie kilku świeżych jarzyn, kawałka mięsa czy ryby zamiast przetworzonych przemysłowo produktów jest satysfakcjonujące i dla podniebienia, i dla zdrowia, i dla portfela.

Pieniądz jest energią, której – niestety – pozwalamy się wymykać z powodu braku świadomości spowodowanego niewłaściwą kontrolą naszych impulsów. Każdy sam może powiedzieć, czym jest pieniądz w jego oczach. Chodzi o naszą energię. Zadowalanie się skromnymi rzeczami jest jednym z najlepszych sposobów na jej zachowanie. Jeżeli wydajemy pieniądze na przedmioty, które nie mają dla nas wartości, tracimy energię.

Uczyń z pieniądza swojego sługę

W świecie mężczyzn pieniędzy jest pod dostatkiem. Ich brak jest charakterystyczny dla świata kobiet. Kiedy wszystko zawiodło, objawia się kobiecy instynkt – kobieta znajduje pracę. I to jest powód, dla którego mimo wszystko ten świat nadal istnieje.

Dziennik domowy dla pań, październik 1932 roku

Czy obliczałaś już kiedyś dla zabawy, ile pieniędzy przeszło przez twoje ręce od dnia, w którym otrzymałaś pierwszą monetę o niewielkiej wartości, bo wypadł ci mleczny ząb? A ile masz ich dziś?

Wydajemy zbyt wiele na rzeczy bezużyteczne i na przyjemności trwające chwilę. Rujnują nas nie duże, przemyślane inwestycje, ale małe, dawno już zapomniane nabytki. Marnować pieniądze to znaczy wyjść z restauracji z przepełnionym żołądkiem i z poczuciem zmęczenia, na dodatek po zapłaceniu rachunku o wysokości całkowicie niepasującej do doświadczonej przyjemności. Marnować to myśleć, że zrobiło się dobry interes, a potem żałować. To kupić tani sweter, który farbuje albo skurczył się w praniu, czy materac złej jakości, który wykrzywia kręgosłup.

Natomiast oszczędzanie i unikanie wydatków przekraczających nasze możliwości jest właściwym wyborem, ponieważ zapewnia nam bezpieczeństwo. Każdy z nas powinien mieć swój plan „ubezpieczenia spokoju i oszczędzania". Zredukowanie potrzeb do ścisłego minimum jest najpewniejszym sposobem, by ten plan zrealizować.

Możemy podzielić swoje pieniądze na dwie części. Pierwszą na skromne życie, drugą – nadwyżkę, jeżeli nią dysponujemy – na kaprysy ludzi bogatych.

Należy oszczędzać po to, by móc mniej pracować, a nie po to, by wydawać. Jeżeli mamy jakieś oszczędności, mamy również bardziej pozytywne nastawienie do życia i jesteśmy szczęśliwsi, bo mniej nas martwi przyszłość. Spraw, by pieniądz był twoim sługą, a nie twoim panem. Nigdy nie bądź uzależniona finansowo od drugiej osoby i nie wchodź w błędne koło pożyczek. Nigdy nie wydawaj więcej, niż zarabiasz, i co miesiąc trochę inwestuj. Proste? Dlaczego więc jest tylu ludzi zadłużonych, żyjących ponad stan i zgorzkniałych?

Koszt bałaganu

Ceną, jaką płacimy za bałagan, jest życie wśród mnóstwa rzeczy, których by nam nie brakowało, gdybyśmy ich nie mieli, o których nie pamiętamy aż do chwili, gdy zostaną wyjęte z głębi szafy, lub których być może jeszcze kiedyś będziemy używać, ale które teraz nam przeszkadzają.

Wiele przedmiotów nie zasługuje na to, by je zatrzymać. Opłacanie ubezpieczenia domu wypełnionego niepotrzebnymi rzeczami, spędzanie czasu na ściąganiu kap, odkurzaniu, polerowaniu i przywracaniu do życia przedmiotów z przeszłości jest marnowaniem czasu i energii. Istnieje tyle rzeczy bardziej wzbogacających: podróże, czytanie, zdobywanie wiedzy w wybranej dziedzinie, aktywność fizyczna, spacery, gotowanie, odpoczynek i kontemplowanie pejzażu.

Poza tym bałagan powoduje, że często kupujemy dwie takie same rzeczy i obarczamy się nimi w niemądry sposób.

Edukacja i moralność w naszym społeczeństwie upadły tak nisko, że wspierają z najbardziej cyniczną hipokryzją chęć zysku i pragnienie posiadania. Zmieniająca się błyskawicznie moda w dziedzinie stroju, wypoczynku, jedzenia zaślepia nas i czyni niewolnikami. Niewielu ludzi rozumie wartość pieniądza i podchodzi do niego wystarczająco poważnie. Pieniądz powinien być używany przede wszystkim jako smar do oliwienia mechanizmów życia.

Jednym z ideałów zen było noszenie na szyi całego dobytku: stroju na zmianę, miseczki, pary pałeczek, brzytwy i nożyczek do obcinania paznokci. Wszystko to mieściło się w jednym pudełku. Skąpość tego maleńkiego bagażu jest milczącym sposobem kontestowania przez mnichów buddyjskich stanu współczesnego społeczeństwa. Próba zbliżenia się do tego ideału jest właściwą odpowiedzią na głębokie poczucie braku satysfakcji, które wywołuje życie w społeczeństwie konsumpcyjnym.

Oszczędzaj, pohamuj swoje pragnienia
i określ swoje potrzeby

Jest jedna rzecz, którą wszyscy ludzie pragną zachować jak najdłużej – zdrowie. Wszyscy możemy uzyskać lepszą formę, jedząc lepiej i mniej, stosując profilaktykę, starając się myśleć pozytywnie i rzeczywiście stając się odpowiedzialnymi za samych siebie.

Powinniśmy stosować te same zasady wobec posiadanych rzeczy: urządzeń gospodarstwa domowego, ubrań, przedmiotów... Nasze życie tak bardzo związane jest z nadmiarem. Nie wyobrażamy sobie, iż mogłoby się to pewnego dnia zmienić. Ponieważ nigdy nie zaznaliśmy głodu ani nie odczuliśmy niedostatku, wierzymy, że obfitość nigdy się nie wyczerpie...

Prowadź rachunki, upraszczaj je, kontroluj swoje życie

Zachowaj dowody wszystkich dochodów i wydatków. Pomoże ci to więcej oszczędzać, lepiej zarządzać finansami i uprościć życie. Większość problemów, związanych z zarządzaniem finansami, pochodzi raczej z nawyku robienia nieprzemyślanych zakupów niż z niekontrolowanego zaspokajania pragnień. Na przykład spróbuj policzyć, ile kosztuje twoje łakomstwo: produkty dietetyczne, które kupujesz, by stracić kilogramy, wizyty u lekarzy, lekarstwa, zabiegi kosmetyczne, ponieważ masz szarą cerę... Przyzwyczaj się do tego, że zawsze dokładnie wiesz, ile masz i ile możesz wydać. Będziesz potrafiła przesunąć datę zakupu płaszcza, który cię kusi, a na który obecnie cię nie stać. Notowanie wszystkich wydatków pomoże ci nie trwonić bezmyślnie owocu twojej pracy.

Filozof amerykański Henry David Thoreau cieszył się, że mógł policzyć na palcach jednej ręki swoje operacje finansowe.

Miej tylko jedno konto w banku i jedną, najwyżej dwie karty kredytowe.

Dwa razy w miesiącu usiądź spokojnie przy stole kuchennym z dobrą kawą, nastaw muzykę i zrób bilans. Reguluj rachunki, jakby to był rytuał, spokojnie i nie mówiąc, że to niemiły obowiązek. Uświadom sobie, że masz kontrolę nad swoją sytuacją finansową.

Unikaj pożyczek i zakupów na raty. Wyjątek stanowią życiowe inwestycje, na przykład kupno mieszkania czy domu. Twoja karta kredytowa powinna ci służyć tylko w nagłych wypadkach. Gdy jej używasz na co dzień, wydajesz więcej. Operacje bankowe są także formą handlu.

3. Etyka i estetyka

Potrzeba piękna

Wyrzeczenie i piękno (ceremonia herbaty)

> *Filozofia herbaty nie jest estetyzmem w zwykłym znaczeniu tego słowa, wspólnie bowiem z etyką i religią wyraża cały nasz sposób widzenia człowieka i natury. Jest higieną, gdyż zmusza nas do czystości; ekonomią, bo uczy, że w prostocie, a nie w złożoności i przepychu, znaleźć można wygodę; moralną geometrią, ponieważ określa nasze poczucie proporcji w stosunku do wszechświata.*
>
> Kakuzō Okakura, *Księga herbaty*
> tłum. Maria Kwiecińska

Podstawy ideałów estetycznych Dalekiego Wschodu leżą w taoizmie. Ale to zen sprawił, że można je zastosować w codziennym życiu. *Księga herbaty* Kakuzō Okakury czyni z adeptów ceremonii herbaty arystokratów dobrego smaku. Ceremonia ta jest rytuałem, zawierającym w sobie wartości estetyczne i filozoficzne. To napój duchowy: skondensowany, prosty, podawany według ścisłych reguł, podkreślających zasady czystości i spokoju. Reguły te prowadzą nas na wyżyny wiedzy dotyczącej spraw materialnych i duchowych. Materia i duch stają się jednością, co staje się źródłem piękna. Sztuka jest tu obecna we wszystkim – w gestach, przedmiotach, stroju, sposobie zachowania... Wielu ludzi zbiera przedmioty, ale niewielu zajmuje ich istota. Dzięki minimalizmowi bardziej jednoczymy się z rzeczami, dzięki którym następuje nasze oczyszczenie. Praktykowanie tej ceremonii wpływa na codzienność. Herbata jest przygotowywana za pomocą minimalnej liczby przedmiotów i ruchów, według ścisłych reguł. Gdy zostają one opanowane i zastosowane, możliwe jest wyjście poza formy i dotarcie do wyższych poziomów świadomości.

Ceremonia herbaty to żywy przykład minimalizmu – jest ona poszukiwaniem piękna i dochodzeniem do jednego rezultatu z możliwie największym wdziękiem i największą oszczędnością wysiłku. Dla Japończyka zachwyt nad pięknem jest aktem uświęconym, prawie religijnym. Jego dusza wznosi się do rzeczywistości, w której panują spokój i piękno, jak dusza bonzy siedzącego nieruchomo w pozycji lotosu dopóty, dopóki pali się pręcik kadzidła.

Ubóstwo i jednocześnie piękno miejsc takich jak Ryoenji, ogród zen w Kioto, czy wspaniałe sanktuaria koreańskie, do których nie dotarli jeszcze turyści, każe nam myśleć o nieskończoności naszej istoty.

Estetyka *wabi sabi*

*Żaden kolor nie zakłócał nastroju pomieszczenia,
żaden dźwięk nie mącił rytmu czynności, żaden gest nie
naruszał harmonii, żadne słowo nie rozbijało jedności
otoczenia, każdy ruch był prosty i naturalny – takie były
założenia ceremonii herbaty. (...)*
**Wszystko od sufitu po podłogę utrzymane jest w surowych
kolorach; również goście ubrani są w stroje o dyskretnych
barwach.** *Nad wszystkim unosi się patyna czasu,
przedmioty nowe stanowią absolutne tabu, z wyjątkiem
jednej, jedynej nuty kontrastu – bambusowego czerpaka
i lnianej serwetki, obu nieskazitelnie białych i nowych.*

Kakuzō Okakura, *Księga herbaty*

Ruch *wabi sabi* opierał się na wartościach estetycznych przeżywanych przez człowieka, który całkowicie odizolował się od świata – mógł wówczas łatwiej docenić najmniejsze detale codziennego życia we wszystkich jego aspektach. Oswajał się z faktem, że wszechświat tworzy i niszczy. Doceniał ukryte piękno rzeczy niepełnych i niedoskonałych.

Materiały używane przez koneserów *wabi sabi* prowadzą do ostatecznej transcendencji. Są to: papier ryżowy, przepuszczający rozproszone światło, pokryty rdzą i patyną metal, poskręcane korzenie drzew, słoma, skały porośnięte mchem, spękana glina.

Estetyka *wabi sabi*, stworzona w XIV wieku, oznacza formę wyidealizowaną i czystą do granicy ubóstwa.

Tak jak substancje lecznicze w homeopatii, *wabi sabi* jest od dawna stosowane w niewielkich dawkach; im są one mniejsze, tym potężniejsze przynoszą efekty.

W szintoizmie waga przykładana do skromnego stylu życia w znaczący sposób przyczyniła się do przyswojenia estetyki, wykorzystującej przestrzeń i najmniej kosztowne materiały tak skutecznie, jak to tylko możliwe.

Ceniono naturalnie niedoskonałości, będące dziełem przypadku – sęki w drewnie, niezamierzone przez twórcę wzory powstające podczas wypalania ceramiki, ślady erozji skał...

Zen każe nam się wystrzegać przedmiotów artystycznych i tych, które są sygnowane przez ich twórcę. Żąda od człowieka, by nie był ani panem, ani sługą rzeczy i innych ludzi, by nie stawał się niewolnikiem samego siebie, swoich emocji, zasad ani pragnień. Piękno, zdaniem zen, jest brakiem zmartwień, wolnością w stosunku do wszystkiego. Gdy tylko ten stan zostanie osiągnięty, wszystko staje się piękne. Jest to stan ducha, akceptowanie nieuniknionego, pochwała porządku kosmicznego, materialnego ubóstwa i duchowego bogactwa.

Piękno jest niezbędne

> *Jeżeli jako cały majątek*
> *pozostaną ci tylko dwa chleby,*
> *sprzedaj jeden z nich i za kilka groszy*
> *kup hiacyntów, by nakarmić swoją duszę.*
>
> wiersz perski

Życie Japończyków zawsze charakteryzował minimalizm, ale był on nierozerwalnie połączony z pięknem. Przed stu laty nawet najbiedniejsze domy odznaczały się wzorową czystością, wszyscy znali sztukę pisania wierszy, układania bukietów, przyrządzania i podawania posiłków z elegancją i najbardziej wyrafinowanym smakiem. Zen nie jest jedynie religią, jest przede wszystkim etyką. I to mogłoby także być wzorem dla ludzi, którzy opowiedzieli się za minimalizmem.

Wszyscy w głębi duszy potrzebujemy porządku. Zen uwalnia nas od wszelkiej niepewności, także materialnej i fizycznej. Uczy nas, że im mniej jesteśmy skomplikowani, tym silniejsi się stajemy.

Słuchanie muzyki, dotykanie miękkiego materiału, wdychanie zapachu róży... Wszystko to jest dla nas w naturalny sposób pociągające, daje nam energię i zapewnia przyjemność.

Piękno we wszystkich postaciach jest konieczne do szczęścia, a my, ludzie, potrzebujemy trochę więcej, niż domaga się od nas rozum. Nasza dusza potrzebuje piękna, tak jak nasz organizm powietrza, wody i pożywienia. Bez piękna stajemy się smutni, przygnębieni, czasem nawet popadamy w obłęd.

Piękno jest zaproszeniem do kontemplacji. Pochłania nas całkowicie. Szekspir, Bach, Ozu sprawiają, że wchodzimy w bezpośredni kontakt z absolutem.

Estetyka i etyka są ze sobą powiązane. Japończycy opowiedzieli się za pięknem, by zachować umiłowanie życia.

Prawdziwy luksus to ten, w którym odnajdujemy się jakby naturalnie, prawie bez zauważania go – wygodne skórzane fotele, kaszmirowy pled, kryształowe szklanki na wodę, obrus z białego lnu, proste talerze z białej porcelany, które utrzymują ciepło, grube serwetki z egipskiej bawełny, pomieszczenie pozbawione bibelotów, ale za to ofiarowujące nam ogień na kominku zimą, dyskretny bukiet kwiatów, sezonowe warzywa pochodzące z ogrodu znajdującego się tuż obok. Fałszywy luksus to ten, który kupujemy, by stworzyć wnętrze widziane w modnym czasopiśmie, by naśladować zaobserwowanych ludzi. Wyposażamy mieszkanie w najnowocześniejszy sprzęt elektroniczny, nie zwracając uwagi na wygodę, jedziemy na wakacje do modnych, przeludnionych miejscowości, zażywając jednocześnie środki uspokajające, by wyzbyć się zmęczenia. Mieszamy i gotujemy modne składniki według swojej fantazji, tworząc całkowicie niejadalną potrawę.

Żyj elegancko i doskonale

Praktykował on umartwienia, których nikt nie zauważał. Ale jego długie ćwiczenie się w praktykach stoickich nie sprawiło, że stał się sztywny jak stary mędrzec... Jego gust był we wszystkim wyborny, także w przypadku osób, rzeczy i sposobu mówienia.

Marguerite Yourcenar, *Pamiętniki Hadriana*

Robienie wszystkiego z wyczuciem stylu powoduje, że życie staje się nieskończenie bogatsze. Styl to szczotkowanie włosów, zanim zjemy śniadanie. To włączenie łagodnej muzyki w czasie posiłku. To unikanie plastiku i winylu w swoim otoczeniu. To używanie sreber codziennie, a nie tylko wtedy, gdy przyjmujemy gości.

W czasie wielkiego kryzysu gospodarczego w Stanach Zjednoczonych w latach 30. XX wieku pieniądze miały mniejsze znaczenie niż styl. Ponieważ praktycznie wszystkie rodziny były pozbawione środków finansowych, to nie pieniądz tworzył różnice między poszczególnymi domami. Tworzyły je sposób mówienia, zachowanie, używany język, wyznawane wartości i zamiłowanie do rzeczy o wysokiej jakości. Dlatego używaj na co dzień tego, co najpiękniejsze, i przed posiłkiem stawiaj na stole bukiet kwiatów. Zawsze próbuj wnieść do życia nieco więcej doskonałości. Szczegóły mają ogromne znaczenie. Kiedy są perfekcyjne, dają nam poczucie równowagi. Pozwalają przejść do rzeczy większej miary. Ale kiedy są zaniedbywane, dokuczają jak natrętne owady. Styl i piękno pomagają nam przekraczać samych siebie.

W Japonii piękno postawy ciała wyraża osiągnięcie doskonałej równowagi między intencją a wysiłkiem. Posługiwanie się pałeczkami, pozycja podczas siedzenia na tatami... Można je porównać z ascezą, praktykowaną z wdziękiem i dyscypliną.

Masz mniej, zyskujesz porządek i czystość

Czystość i etyka

> Nieskazitelna czystość, idealny porządek, pozbawiona najmniejszej plamki kuchnia, z której dochodził piękny zapach... Gospodyni czerpała ze swej pracy satysfakcję, spokój i dumę. Praca była dla niej celem samym w sobie.
>
> George Gissing, *Dokumenty Henri Rye*

Ceremonia herbaty była na początku serią prostych, ale traktowanych poważnie czynności, mających na celu rozwinięcie poczucia dyscypliny i dokładności oraz wprowadzenie na nowo ładu do umysłu. Wystarczy spojrzeć na twarz bonzy, mającego dziewięćdziesiąt lat, by pojąć dobrodziejstwa podobnej praktyki.

Dla bonzy ćwiczeniami duchowymi są zarówno prace domowe, utrzymywanie czystości, ogrodnictwo, jak i zajęcia związane z kontemplacją. Opiekuje się światem, który go otacza, i darzy go szacunkiem, ponieważ wie, że dzięki temu światu żyje. Miotła jest dla niego przedmiotem związanym z praktyką duchową.

Zen uczy, że wykonując prace domowe, dokonujemy oczyszczenia siebie. Umieszczenie każdego przedmiotu na miejscu, sprzątnięcie pokoju i zamknięcie drzwi już absolutnie nieskazitelnego pomieszczenia znaczy tyle, ile oczyszczenie świata z brudu. Sprzątanie ukazuje istotę człowieka i natury.

Każdy czysty kąt natychmiast przynosi pocieszenie. Bóg ukrywa się za twoimi rondlami – spraw, by błyszczały jak nowa moneta. Różne codzienne obowiązki stanowią część aktywności życiowej. Każdy dzień, każda pora roku mogą być najlepsze.

W Japonii prace domowe nie są uważane za uwłaczające. Dzieci, urzędnicy, osoby starsze... Każdy zaczyna swój dzień od małego sprzątania. Rząd nie wydaje pieniędzy podatnika na zamiataczy ulic ani pracowników służb utrzymania czystości.

Prace domowe są istotnym elementem życia. Czyszczenie, zamiatanie, mycie, gotowanie utrzymuje ludzi w formie i czyni ich odpowiedzialnymi za własne życie. Osoba, która krząta się wystarczająco dużo, by zaspokoić potrzeby dnia codziennego, nie dozna wylewu krwi do mózgu, otępienia ani apatii. Jej myśli są jak przepływające po niebie chmury.

Każda kobieta i każdy mężczyzna mający nieco przyzwoitości powinni umieć wyczyścić to, co zabrudzą, nawet jeżeli dysponują środkami, by zlecić to zadanie komuś innemu. Nie lekceważ świata materialnego, kryją się w nim piękno i dobro. Sprzątanie domu jest potrzebne jak czyszczenie zębów.

Staraj się czynić piękniejszym wszystko, czego dotkniesz, nawet podczas wykonywania najbardziej przyziemnych prac. Poczucie estetyki powinno kierować najmniejszym gestem. Każde działanie, nawet najdrobniejsza codzienna czynność, może być więc wykonywane jako ćwiczenie z kreatywności i z godnością.

Trzy pomocne zasady:

• Wyznaczone miejsce dla każdego przedmiotu i każda rzecz na swoim miejscu.

• Porządek oszczędza czas i przynosi ulgę pamięci.

• Początek dobrej pracy to czyste i uporządkowane otoczenie.

Skromność, czystość i porządek

Porządek jest podstawą piękna.

Pearl Buck

Staranne ułożenie prześcieradeł na półce szafy jest rodzajem obrony przed światem pełnym chaosu.

Jesteśmy bezradni wobec dżumy, śmierci i wszystkich koszmarów, które osaczają nas we śnie. Ale szafy, w których panuje wzorowy porządek, są dowodem, że możemy uporządkować przynajmniej nasz mały kącik we wszechświecie.

Spraw więc sobie małą osobistą satysfakcję, układając pościel, czyszcząc umywalkę po zakończeniu toalety, starannie zamykając wieczko pudełka z płatkami śniadaniowymi i odstawiając je na miejsce, gdy napełnisz talerz. Delektuj się tym, czego dokonałaś. Poczuj promieniowanie przyjemności, zadowolenia, a nawet piękna, którego źródłem jest to, co właśnie zrobiłaś. Kryją się w tym małe sekretne przyjemności, które należy doceniać i kultywować. Piękno jest jedną z nielicznych rzeczy, dla których warto żyć. Żyć pięknie jest najwyższym powołaniem. Piękno objawia się właśnie w szczegółach, porządku i czystości, wspiera nas i żywi.

Gdy porządkujemy nasze otoczenie, wprowadzamy ład także do swojego wnętrza. Każda opróżniona szuflada, każda uporządkowana szafa, każda owocna próba zorganizowania i uproszczenia naszej egzystencji daje nam na nowo pewność, że kontrolujemy coś w swoim życiu.

Sztuka prac domowych

Uczyń z prac domowych przyjemność. Ubierz się we właściwy strój, włącz muzykę i przygotuj się na porządną dawkę ćwiczeń fizycznych. Staraj się nie używać zbyt wielu różnych produktów, ponieważ one także często tworzą bałagan, którego przyczyną jest nadmiar. Ogranicz się do dwóch, trzech produktów (najskuteczniejszy jest i zawsze będzie francuski specyfik *Eau de Javel*), ustaw je w miejscu, do którego jest łatwy dostęp. Jeśli mieszkasz w piętrowym domu, zestaw produktów na każdym piętrze oszczędzi ci niepotrzebnego i męczącego chodzenia po schodach.

Przeznacz szafę gospodarczą z prawdziwego zdarzenia na miotłę, odkurzacz, plastikowe kubły... Wszystkie te przedmioty, których tak nie lubisz.

Sztuczki do wykorzystania przy sprzątaniu:

• Umieść ruszt do pieczenia ryb na wewnętrznej stronie drzwi szafki kuchennej, w której trzymasz noże, chochle, pokrywki do garnków itp.

• Składaj ręczniki trzykrotnie, tak by nie był widoczny żaden brzeg.

• Włóż waciki, płatki kosmetyczne i podobne przedmioty do słojów z przezroczystego szkła.

• Zanim schowasz kable elektryczne i sznury, zwiń je w ósemkę wokół kciuka i serdecznego palca.

• Używaj dużego worka na śmieci w charakterze fartucha przy brudniejszych pracach.

• Umieść w przedpokoju drążki i haczyki na torby, płaszcze, rękawiczki, szale.

• Miej kilka koszyków, które można przechowywać jeden w drugim, do układania w nich upranych i wysuszonych rzeczy.

• Nadaj nazwy segregatorom z dokumentami i przyklej na nich odpowiednie etykietki.

• Nie wkładaj przepisów kulinarnych w plastikowe obwoluty, żeby łatwiej można się było nimi posługiwać.

• Przyklejaj na wewnętrznej stronie drzwi szaf karteczki ze spisem tego, co w danej szafie jest schowane.

• Z widelca ustawionego w szklance zębami do góry zrób statyw na wizytówki i pocztówki.

• Odkładaj negatywy zdjęć do pustych pudełek po chusteczkach higienicznych.

• Włóż każdy komplet pościeli do poszewki jaśka.

• Chowaj puste plastikowe torby według wielkości: małe, średnie, duże, w trzech pudełkach.

• Umieść konserwy w szufladzie, by były lepiej widoczne.

• Podglądaj sposoby układania towaru w sklepach.

• Wytnij koła z filcu lub innego grubego materiału i przełóż nimi cenne talerze.

• W trakcie gotowania miej pod ręką dużo małych ręczników i czystych ścierek.

• Używaj ściereczki z mikrofibry antytłuszczowej lub tradycyjnej szczotki do zmywania naczyń.

• Co wieczór namocz ściereczki kuchenne w naczyniu na sałatę wypełnionym wodą z płynem do zmywania.

• Włóż wilgotny papier kuchenny do pojemnika typu *tupperware*, by jarzyny dłużej zachowały świeżość.

• Czyść sufity ręcznikiem frotté umocowanym gumką na miotle.

• By usunąć naelektryzowany kurz z telewizora i telefonu, przetrzyj ich powierzchnię ściereczką z wodą i kroplą szamponu z odżywką.

• By usunąć tłuszcz z wentylatora okapu kuchennego, zanurz go w wannie wypełnionej wodą z dodatkiem płynu do naczyń.

• Unikaj roślin doniczkowych o drobnych liściach, bo ich czyszczenie wymaga więcej pracy.

• Natnij gąbkę z jednego brzegu na głębokość dwóch centymetrów, by łatwiej wnikała w wąskie miejsca: szyny przesuwanych drzwi, karnisze, rolety.

• Usuń kulki ze swetrów gąbką typu *scotch brite*.

• Odkurzaj lodówkę.

• Umieść wacik, nasączony olejkiem eterycznym, w filtrze odkurzacza.

• Nie używaj zbyt dużych ilości produktów do prania ubrań, bo to je niszczy.

• Używaj specjalnej siatki do prania swetrów i ubrań z delikatnych tkanin.

Jednym słowem – upraszczaj.

1. Nie akceptuj tego, czego sobie nie życzysz.

2. Nie miej poczucia winy, gdy coś wyrzucasz lub oddajesz.

3. Nie gromadź próbek z perfumerii w łazience.

4. Wyobraź sobie, że twój dom spłonął. Zrób listę rzeczy, które kupisz ponownie.

5. A następnie listę tych, których nie kupisz po raz drugi.

6. Sfotografuj rzeczy, które lubisz, ale których nigdy nie używasz, a potem je wyrzuć.

7. Skorzystaj ze swojego doświadczenia, by określić, co jest ci potrzebne; w razie wątpliwości – wyrzucaj.

8. Pozbądź się wszystkiego, czego nie użyłaś chociaż raz w ciągu ostatniego roku.

9. Powtarzaj co jakiś czas: „Nie pragnę niczego, co nie jest konieczne".

10. Uświadom sobie, że mniej znaczy więcej.

11. Odróżniaj swoje potrzeby od swoich pragnień.

12. Przekonaj się, jak długo możesz żyć bez rzeczy, którą uważasz za niezbędną.

13. Pozbądź się tylu rzeczy materialnych, ilu możesz.

14. Nie porządkuj, poprzestając na przestawianiu przedmiotów.

15. Powiedz sobie, że prostota oznacza wyzbywanie się nie tego, co lubisz, ale tego, co nie daje ci szczęścia lub przestało ci je dawać.

16. Pamiętaj, że nie ma rzeczy nie do zastąpienia.

17. Zdecyduj, jaką liczbę przedmiotów danego rodzaju chcesz zatrzymać (łyżeczki, prześcieradła, pary butów).

18. Znajdź miejsce dla każdej rzeczy.

19. Nie gromadź pustych pudełek, toreb, słoików.

20. Miej najwyżej dwa stroje do wykonywania prac domowych.

21. Przeznacz jeden mebel do przechowywania ważnych dokumentów, wyrobów papierniczych, baterii, rachunków, map drogowych, kaset, dyskietek, wszystkich „bezdomnych" przedmiotów.

22. Przeprowadź przegląd każdego pomieszczenia. Usunięcie jakiegoś przedmiotu oznacza oszczędzenie sobie jego odkurzania.

23. Zawsze zadawaj sobie pytanie: „Dlaczego przechowuję tę rzecz?".

24. Wyobraź sobie włamanie – nie zostawiaj niczego dla złodziei.

25. Nie bądź niewolnikiem swoich dawnych zakupów, które były pomyłką; napraw błąd – wyrzuć je.

26. Dla zabawy zrób listę wszystkich rzeczy, które masz. Niemożliwe?

27. Zrób także listę wszystkich przedmiotów, których już się pozbyłaś. Któregoś z nich żałujesz?

28. Powiedz sobie, że dla własnego dobra powinnaś pozbyć się wszystkiego, co cię irytuje, nawet jeśli są to rzeczy o pewnej wartości emocjonalnej.

29. Nie bój się zamiany dobrego na lepsze, zyskasz w ten sposób zadowolenie.

30. Nigdy nie akceptuj wyboru drugiej kategorii. Im bliższy doskonałości jest każdy element twojego otoczenia, tym większe poczucie harmonii zyskujesz dzięki niemu.

31. Kupuj tylko wtedy, gdy masz pieniądze w kieszeni.

32. Zmiany są tym, co utrzymuje dom przy życiu.

33. Miej zaufanie do rzeczy klasycznych, które dały dowody swojej jakości.

34. Zorganizuj swoje życie w taki sposób, byś nie musiała go więcej organizować – eliminuj.

35. Zmniejsz liczbę przechowywanych zdjęć.

36. Zwracaj uwagę na to, by każdy nowy nabytek był mniejszy pod względem wielkości, ciężaru i objętości od poprzedniego.

37. Wyrzuć gadżety.

CIAŁO

(...) nie mamy bowiem prawa zbliżyć się do
piękna, póki sami nie staliśmy się piękni

Diogenes

Zajmowanie się swoim ciałem wyzwala. Wiele kobiet marnuje czas, energię i pieniądze na upiększanie domu, gotowanie dla rodziny i przyjaciół, zajmowanie się innymi ludźmi czy chodzenie do teatru. Zapominają natomiast o swoim ciele i usprawiedliwiają się przed sobą, twierdząc, że nie mają czasu na spacer, oczyszczanie skóry czy zaplanowanie diety. Nie zdają sobie sprawy z tego, jak ważne jest utrzymywanie ciała w harmonii i zdrowiu. Zajmowanie się swoim ciałem i wyglądem, wygładzanie skóry, masowanie i uelastycznianie stawów jest rzadko praktykowane (szczególnie w pewnym wieku) przez ludzi żyjących w krajach zachodnich. Są oni ofiarami myśli judeochrześcijańskiej, traktującej ciało jako należące do sfery tabu i nieczyste. Łaźnie, masaże i teorie dietetyczne epoki hellenistycznej oraz czasów rzymskich zniknęły z naszej kultury właśnie wraz z pojawieniem się chrześcijan.

Co się stało z rozsądkiem i elegancją, ze staraniami o posiadanie promiennej cery, zdrowego ciała, zwinnej sylwetki? Zastąpiły je brak rozsądku, folgowanie sobie, lenistwo, a także brak uczciwości wobec siebie i innych. Czy mamy prawo w imię przyjemności, smacznego jedzenia i rozrywek oraz z powodu płacenia składek na ubezpieczenie społeczne nie dbać o swoje zdrowie, podczas gdy miliony ludzi na świecie nie mają dostępu do podstawowej opieki medycznej, szpitali, a nawet żywności? Dlaczego akceptujemy wysoki poziom cholesterolu, nadmiar kilogramów, wysokie ciśnienie, pozbawioną blasku, pokrytą plamami skórę, zniekształcone stawy, wizyty u lekarza jako nieuniknioną konsekwencję wieku, a odrzucamy zmianę trybu życia, przyzwyczajeń i sposobu odżywiania?

Mieć ciało, które powoduje cierpienie i sprawia, że wszystkie ruchy są bolesne, to żyć bez odpoczynku i bez poczucia wolności, bez godności, niezależności. To być niewolnikiem, więźniem samego siebie. A tego niewolnictwa nikt nam nie narzucił.

Potrzeby ciała są ograniczone. Nie powinniśmy ich lekceważyć, ponieważ to od naszego ciała zależy nasze życie. A od naszego życia zależy życie innych. Oczywiście zajmowanie się tylko ciałem (sportem, jedzeniem, zabiegami higienicznymi) jest oznaką braku zdolności intelektualnych. Aby jednak żyć godnie, należy poświęcać ciału nieco uwagi. Trzeba więc nauczyć się (albo raczej przypomnieć sobie), jak zachowywać umiar, co robić, by ciało było bardziej elastyczne, jak się myć, oczyszczać i jak dyscyplinować siebie.

Ciało nie powinno przytłaczać duszy. Powinno być dyspozycyjne w sposób zależny od tego, czego wymagają aktywność intelektualna i sfera duchowa.

1. Piękno i ty

Poznaj swój prawdziwy wizerunek

Bądź sobą

> Kto sam siebie nie uczynił pięknym, nie ma prawa
> do obcowania z pięknem.
>
> Kakuzō Okakura

Być pięknym to przede wszystkim być sobą. Nasze wady, niepowodzenia uczą nas poznawania samych siebie i są okazją do osiągania dojrzałości.

Na piękno składa się kilka czynników: pewność siebie, duma, prezencja, postawa ciała, poziom energii. Dlatego gdy kobieta czuje się pociągająca, rzeczywiście taka jest. Stąd wynika znaczenie poznania samej siebie oraz osiągnięcia samoakceptacji.

Strój, makijaż, gust, tendencje mody... Powinnaś wiedzieć, jaką osobą jesteś naprawdę, i starać się być do niej podobna. Stań się pionierem przekraczającym nowe granice – te dotyczące wieku. Istnieje coraz bardziej realna potrzeba ponownego ich zdefiniowania.

Dziś stulatkowie nie należą już do rzadkości. Nie pozwól, by zawładnęła tobą myśl, że synonimem słowa „starość" jest słowo „choroba".

Możesz się starzeć, zyskując siłę, energię i urodę. Kobiety, które czują się zawsze zmęczone, kładą to na karb wieku. Tymczasem często mają problemy z gruczołami wydzielania wewnętrznego, o których istnieniu nawet nie wiedzą. Dlatego cierpią na bezsenność i hipoglikemię, zapadają na depresje nerwowe, zawodzi je pamięć, nie potrafią kontrolować spożywania cukru. Lekarze mówią, że wydzieliny tych gruczołów neutralizują urazy emocjonalne, a poza tym uzupełniają braki energii – jeżeli myślimy pozytywnie. Być szczęśliwym i otoczonym ludźmi, którzy przeżywają ten sam stan, oto podstawa zdrowia i urody. Śmiej się, oglądaj pogodne filmy, opowiadaj zabawne historie.

Możesz także podjąć decyzję o dokonaniu zmian – zmienić styl ubierania, zamienić poranną kawę na inny napój, pójść do pracy drogą, którą dotychczas nie chodziłaś, wprowadzić trochę fantazji tam, gdzie jej nie ma.

Spaceruj, gotuj, korzystaj ze swojej energii. Kolejnym podstawowym składnikiem piękna jest radość życia. Zwracaj więc uwagę na niepokój, złość, smutek, strach. Są twoimi wrogami. Ćwicz się w pozwalaniu tym wszystkim emocjom, by przemijały tak szybko, jak to tylko możliwe. W taki sposób chronisz swoje siły żywotne. Zachowuj się tak, jakby złe emocje nie mogły cię dotknąć. To skuteczniejsze niż dobry krem. Staraj się być piękna, zachowywać spokój i dystans, czuć się możliwie jak najmniej zaangażowana. Spójrz na siebie w lustrze i poszukaj najdrobniejszych oznak negatywnych przeżyć, trosk, zmęczenia czy złości. Następnie zrelaksuj się i uśmiechnij.

Powierzchowny wdzięk a piękno wewnętrzne

Jeśli nie masz niczego do stworzenia, stwórz samego siebie.

Carl G. Jung, *Wspomnienia, sny i myśli*

Nikt – ani lekarz, ani wizażystka, ani sprzedawca w perfumerii – nie może zadbać o nasze ciało lepiej niż my same. Jesteśmy za nie odpowiedzialne i winne jego zaniedbania. Dlaczego w takim razie ryzykujemy deformacje, przedwczesne starzenie, choroby? Nasze zdrowie jest naszym najcenniejszym dobrem. Powinnyśmy zdać sobie sprawę z tego, że wszystkim nam jest dany pewien rodzaj urody. Dlaczego czekamy, aż będziemy chorzy, by żałować, że nie potrafiliśmy zachować tego daru natury?

Ale piękno fizyczne promieniuje tylko wtedy, kiedy znajduje się w harmonii z pięknem wewnętrznym.

W mieście Ho Chi Minh jedna trzecia mieszkańców nie ma domu i mieszka na ulicy. Jednak wczesnym rankiem parki są świadkami niezwykłej, gorączkowej aktywności ludzkiej. Ludzie w różnym wieku biegają, rozciągają mięśnie, robią rozgrzewkę. A pod jednym z drzew czekają starsze gadatliwe panie. Zainwestowały swoje skromne oszczędności w wagi, które udostępniają wszystkim sportowcom, dbającym o zachowanie właściwego ciężaru ciała – ich jedynego mieszkania. Wszyscy powinniśmy szlifować ten szlachetny kamień, którym jesteśmy, ukazać światu jego blask. Płótno i pędzle nie są potrzebne. Nasze ciało i szare komórki mają wystarczające zasoby, by umożliwić nam wyrażenie nas samych. Staranie się o to, by być piękną i w dobrej formie, ma takie samo znaczenie, jak stworzenie dzieła sztuki. Starzenie się jest głównym dowodem piękności. Powierzchowny wdzięk młodości zmienia się w piękno wewnętrzne, które uzewnętrznia się i wzbogaca z biegiem lat. Być pięknym to być miłym dla oka, niezależnie od wieku. Styl zdobywamy dzięki rozsądkowi i dobremu gustowi. Forma i materia to jednak nie wszystko. Styl to także oznaka inteligencji, to coś, co pochodzi z wnętrza. Jest to wybór, pomysł na to, kim jesteśmy, kim chcemy być i w jaki sposób.

Nie bądź ofiarą swojego ciała

> *Kobieta powinna mieć pomalowane paznokcie do dziewięćdziesiątego roku życia.*
>
> Anaïs Nin

Jeżeli nie troszczysz się o swoje cało, staniesz się jego ofiarą. Twoje ciało jest twoim domem. Nie powinnaś zaniedbywać służących mu zabiegów na korzyść troski o innych ludzi. Jedynie gdy kochamy siebie, możemy dawać. Zdobądź się na wysiłek – jesteś to winna samej sobie, swojej rodzinie i swoim przyjaciołom. Nikt nie lubi patrzeć na źle utrzymany dom. To samo dotyczy źle utrzymanych ludzi. Naszym obowiązkiem jest wyglądać czysto i schludnie. Jeżeli respektujesz kilka zasad i jeżeli nie eksploatujesz nadmiernie swojego ciała, nawet średnio obdarzona przez naturę możesz, dobrze znając samą siebie, zyskać wdzięk. Szekspir mawiał, że wiemy, kim jesteśmy, ale nie wiemy, kim możemy się stać. Pragnienie bycia atrakcyjnym fizycznie nie jest błahą zachcianką, jest kwestią szacunku dla samego siebie. Bycie pięknym nie zawsze jest darem nieba. Jest raczej dyscypliną, której praktykowanie datuje się od początku dziejów ludzkości. Piękno fizyczne w dużym stopniu zależy od zdrowia i zaufania do siebie. Mając energię, jesteśmy aktywniejsi, mamy lepsze relacje z otoczeniem i bardziej kochamy samych siebie.

Wyrażaj swoją obecność

Moja babcia wciąż jeszcze dbała o akcentowanie swojej kobiecości. Co prawda chodziła zawsze w jasnoszarej marynarce, ale w szczególny sposób pielęgnowała długie, bujne włosy. Nosiła je uczesane w kok, który ozdabiała kwiatami. Do mycia włosów używała nie szamponów kupowanych w sklepie, ale specjalnych owoców. Potem dodawała ostatni akcent – parę kropel olejku z kwiatów osmantusa, który sama przygotowywała. Robiła wszystko z dystynkcją, a kiedy wychodziła po zakupy, nigdy nie zapominała o delikatnym pociągnięciu brwi czarną kredką i muśnięciu nosa pudrem. Chodziła prosto z dumą i poczuciem pewności siebie.

Jung Chang, *Trzy chińskie siostry, dziki łabędź*

Umiejętność zaakcentowania swojej obecności wywiera na innych tak silne wrażenie, że nie musimy odznaczać się idealnym wyglądem fizycznym, by być piękną. Charakter tej obecności daje to, co nazywamy sposobem bycia.

Nie pozwól swoim myślom zagubić się w przeciętności dnia codziennego. Możesz się odradzać co dzień dzięki wyborom, których dokonujesz. Zwracając uwagę na gesty, najtrwalej wpisane w twoją osobowość, stawiasz własny podpis pod życiem. Nieważne, czy jest to zapalenie pręcika kadzidła, ułożenie bukietu, przygotowanie mieszanki herbat czy posiłku. Znajdź własny sposób na dobrą kondycję fizyczną i psychiczną. Podkreślasz swoją obecność swoim stylem bycia. Przyswajając sobie właściwy sposób siadania, odzyskujesz poczucie dumy. Gdy chodzisz z godnością i pewnością siebie, poruszasz się, jak mówią Indianie z plemienia Nawaho, z poczuciem piękna – niezależnie od tego, kim jesteś. Co sprawia, że kręgosłup jest wyprostowany? Witamina C czy miłość własna?

Staraj się być przejrzysta

Przejrzystość jest brakiem usztywnienia, pozwala człowiekowi promieniować wewnętrznie. Ale można ją osiągnąć tylko wtedy, gdy ktoś ma zaufanie do samego siebie, jest naturalny, potrafi reagować na każdą sytuację, poradzić sobie z nią, pozostać panem samego siebie i przyjąć ze spokojem to, co nadchodzi. Automatyczne powtarzanie mechanicznych gestów pozwala umysłowi pozostać wolnym, skoncentrować się na fakcie istnienia. Gdy nie wiesz, jak wykonać jakąś pracę, poruszasz się po omacku, długo się zastanawiasz, zanim rozpoczniesz działanie. A gdy nauczysz się, co należy robić, twoje gesty stają się automatyczne. Ta zasada stosuje się do uprawiania sztuki, uczenia się języków, wykonywania obowiązków domowych. Kiedy czujemy się dobrze w swoim ciele, czujemy się wszędzie jak u siebie w domu.

Zwracaj uwagę na swoje grymasy i czynności mimowolne

Wyraz naszej fizjonomii może nam czegoś dodawać, ale może też nas zniszczyć. Piękno jest sprawą genetyki, dietetyki i optymizmu. Powinniśmy stać się świadomi ekspresji naszej twarzy. Na przykład malujące się na niej napięcie nie tylko ujawnia to uczucie, ale także przyczynia się do jego utrzymania. Gdy sprawisz, że wyraz napięcia zniknie z twarzy, uczucie to wyparuje także z twojego umysłu. Gdy starasz się pokazywać otoczeniu uśmiechniętą twarz, stajesz się szczęśliwa. Twoja twarz uśmiecha się także do ciebie.

Doprowadź do perfekcji swoje gesty

> *Jesteśmy tym, co robimy, zatem doskonałość nie jest aktem, ale przyzwyczajeniem.*
>
> Arystoteles

Gestami prezentujemy się innym ludziom. Znajdź własne gesty, czerp z pięknych manier siłę i spokój. Pełna godności postawa siedząca sama w sobie przepełniona jest afirmacją wolności i harmonii wewnętrznej. Kiedy ciało opanowało formy, duch się wyzwala i jest zdolny pokonywać samego siebie. Na przykład nauczenie się siedzenia we właściwej pozycji sprawia, że wszystkie części ciała znajdują się na swoim miejscu, i umożliwia koncentrację.

Ciało nie powinno być postrzegane jako masa, ale jako gesty, którymi wyrażamy siebie. Ruchy i ekspresja twarzy bardziej niż piękno fizyczne sprawiają, że na jakąś osobę patrzymy z przyjemnością lub z niechęcią. Mamy cenne narzędzia: chód, pozy, uśmiech, wyraz dezaprobaty, spojrzenie. Możemy pracować nad nimi, korygować je, doskonalić, by nabrały więcej harmonii. Powinniśmy zawsze starać się znaleźć właściwy gest, najbardziej naturalny i harmonijny sposób posługiwania się ciałem.

Piękno ujawnia się poprzez strukturę i napięcie skóry, wyrobione i elastyczne mięśnie, zgrabną sylwetkę, wytworność gestów, płynność ruchów, godność póz.

Nasze życie codzienne składa się z prostych, powtarzających się czynności, które w Japonii są od najwcześniejszego dzieciństwa przedmiotem ćwiczeń: siadania, wstawania, mycia się, krojenia warzyw, ścielenia łóżka, wykręcania ścierki, składania ubrania.

Wszyscy powinniśmy na nowo nauczyć się chodzić, podnosić przedmioty, mówić. W Stanach Zjednoczonych istnieją *voice trainers*, czyli specjaliści pomagający uczynić tembr głosu przyjemniejszym, a nawet nadać mu szczególny, zniewalający wdzięk.

Wszystko może się stać przedmiotem ćwiczeń. Prawdziwi esteci i artyści to ci, których postawa staje się formą, a forma postawą. Celem ćwiczenia ciała jest zachowanie naszych zdolności oraz ich rozwijanie.

Gest przy każdym powtórzeniu zakotwicza się w nas głębiej i w końcu wyraża rzeczywistość – pozytywną lub negatywną. Staje się przyzwyczajeniem. Kiedy pojawią się rezultaty, można zakończyć ćwiczenie, podobnie jak wtedy, gdy uzyskujesz prawo jazdy. Szkoda tworzyć fałszywą tożsamość, kiedy za pomocą ćwiczeń można wyeliminować brak wdzięku czy niezgrabność. Powtarzanie jest nudną i uciążliwą praktyką, jednak daje zdumiewające wyniki.

Wyzwól swoje ciało

Znaczenie troszczenia się o siebie

> *Ludzie, którzy są nienagannie zadbani, podobają się innym, niezależnie od tego, jaką wartość ma ich biżuteria. Ludzie, którzy nie są czystości, nigdy nie są piękni.*
>
> Andy Warhol

By stać się pięknym, trzeba zacząć od podstaw: piękna skóra, zdrowe włosy, napięte mięśnie i energia. Witaminy z fiolki nie są skuteczne. Jeżeli chcesz być zdrowa, odżywiaj się właściwie, ćwicz i wystarczająco dużo pij. Połącz zdrowe odżywianie, kąpiele, mycie ciała szczotką, dodaj do tego trochę ćwiczeń, a będziesz w świetnej formie.

Ponadto cuda czyni stosowanie kilku prostych przepisów i przestrzeganie podstawowych zasad. Im przepisy są starsze, tym bardziej skuteczne. Gdyby było inaczej, zostałyby zapomniane.

Rzeźb, wygładzaj, oczyszczaj, myj, odżywiaj, upiększaj swoje ciało

> *Luksusem cesarza były prędkość przemieszczania się, lekkie bagaże, stroje idealnie dostosowane do klimatu, ale jego największym atutem był doskonały stan, w jakim znajdowało się jego ciało.*
>
> Marguerite Yourcenar, *Pamiętniki Hadriana*

Nie możemy być wolne, gdy źle się czujemy w swojej skórze i gdy nie jesteśmy perfekcyjnie zadbane. Gdy przestajemy uważać za istotne nasze wady i braki, gdy zapominamy o swoim wyglądzie, stajemy się bardziej spontaniczne, uśmiechnięte, serdeczne. Kobiety pewne siebie są zawsze bardzo zadbane. Poodpryskiwany lakier na paznokciach, zbyt ciasne lub zbyt luźne ubranie, zapach potu, nieświeży oddech, żółte zęby, niewyspanie, brudne włosy mogą zepsuć dzień, podróż, spotkanie. Osoba w makijażu wysyła fale pozytywnej energii. Nie bądź bierna. Możesz się zmienić, stać się bardziej promienna. Wszystko, co robisz dla samej siebie – oczyszczanie skóry, masaż lub manikiur – ma ci dać przede wszystkim świadomość, że masz ciało i że się nim zajmujesz.

Zanim zaczniesz zabiegi kosmetyczne

Uporządkuj swoje myśli i swoją łazienkę. Pewne rytuały i kilka prostych zasad staną się częścią ciebie samej, oczywiście pod warunkiem że pozostaniesz im wierna.

Gdy poświęcamy czas swojemu ciału, zajmujemy się jednocześnie swoim umysłem, a potem możemy pomyśleć o innych ludziach. Wszystko, co się nam przydarza, najpierw trafia do naszej świadomości. Myśl pozytywnie, wzbogacaj swoją wiedzę, uśmiechaj się i bądź ufna.

Postaraj się o lustro, w którym będziesz się widziała od stóp do głów, dokładną wagę łazienkową i mały zeszyt, w którym będziesz zapisywać ciężar ciała, nazwy ulubionych kosmetyków, przepisy na zabiegi upiększające. Tych ostatnich powinno być niewiele, w przeciwnym razie istnieje ryzyko, że nie będziesz ich stosować. Odnotowuj także problemy zdrowotne, które trzeba rozwiązać, i daty wizyt u lekarza. Powinnaś zarządzać swoim zdrowiem tak jak swoim budżetem i swoją urodą.

Trzeba umieć rozróżniać zabiegi wymagające pomocy profesjonalisty (obcinanie włosów, usuwanie kamienia z zębów, likwidowanie brodawek) od tych, które możesz wykonać sama (manikiur i pedikiur, nałożenie maseczki na twarz i włosy, zrobienie masażu).

Wszystko jest sprawą zdrowego rozsądku. Wiele kobiet wydaje majątek na diety odchudzające, a następnie objada się słodyczami. Przede wszystkim powinny one wprowadzić porządek do swojego umysłu i swojego życia, a zacząć od zastanowienia się nad czynnikami psychicznymi, emocjonalnymi i klinicznymi, powodującymi łakomstwo.

Zmień swoją łazienkę w mały instytut urody, utrzymany w porządku i czystości. To jest niezbędne do wykonywania zabiegów, a poza tym koi zmysły. Przejrzyj zawartość szafki toaletowej i zatrzymaj tylko kilka produktów, ale za to dobrych. To da ci przyjemność i satysfakcję.

2. Zabiegi minimalistki

Włosy, skóra, paznokcie

Dbanie o skórę

Także dla skóry mniej znaczy więcej. Większość produktów sprzedawanych w sklepach niszczy cerę. Przede wszystkim unikaj wysoko przetworzonej żywności, którą Anglicy nazywają *junk food* (śmieciowe jedzenie). Wybieraj produkty, służące twojemu zdrowiu i twojej urodzie, a nie takie, które zaspokajają twoje łakomstwo. Chińczycy uważają pożywienie za lekarstwo, ale we Francji jeszcze wciąż zbyt rzadko można spotkać lekarza, który doradzi ci jedzenie razowego chleba, jeżeli cierpisz na reumatyzm.

Wiedz, że na rynku jest tyle bezwartościowych produktów kosmetycznych, ile złej jakości produktów spożywczych.

Znajdź dobre mydło – łagodne, zawierające glicerynę lub miód. Używaj go codziennie wieczorem do oczyszczania skóry nie tylko z makijażu. Osiadły na niej kurz i brud, dlatego pod koniec dnia jest szarawa, nie może oddychać. Rano skóra nie potrzebuje mydła. Jej najlepszym sprzymierzeńcem jest wówczas zimna woda. Japonki, by pobudzić krążenie krwi i mieć ładniejszą cerę, oklepują twarz sto pięćdziesiąt razy. Kolejnym etapem jest odżywianie skóry w zależności od jej stanu. Jeżeli jest dobrze nawilżona, nie potrzebuje niemal niczego. Jeżeli jest sucha, wystarczy jej kilka kropel oliwy lub oleju ogrzanych w dłoni. Generalna zasada: to, co jest dobre dla organizmu, jest korzystne także dla skóry. Dlatego służą jej oliwa z oliwek, olej z awokado, sezamu, słodkich migdałów.

Odrobina naparu zielonej herbaty, wklepana jako tonik, nie zatyka porów i chroni skórę dzięki zawartym w niej antyutleniaczom.

Smaruj się oliwą, wykorzystuj ją do masażu. Ten codzienny zabieg zasługuje na uznanie, zrozum jego znaczenie i stosuj go dla urody.

Twarz ma ponad trzysta małych mięśni. Jeżeli są masowane, utrzymują tkanki na właściwym miejscu. Stan skóry zależy od jej elastyczności. Zwracaj uwagę na to, by nie rozciągać jej gwałtownym wycieraniem lub opieraniem dłoni o policzek albo podpieraniem brody pięścią.

Rezultat zabiegów pielęgnacyjnych zależy od stanu umysłu podczas ich wykonywania. Odnoszenie się z uczuciem do swojej skóry daje taki skutek jak przemawianie do podlewanej właśnie rośliny – upiększa ją, sprawia, że rozkwita. Skóra i włosy funkcjonują w ścisłym związku z całym organizmem, z jego otoczeniem, a przede wszystkim z naszymi myślami.

Ostania rada: słońce jest twoim wrogiem numer jeden, ochraniaj cerę za pomocą kapelusza i ciemnych okularów, by uniknąć dodatkowych zmarszczek.

Przestań marnować pieniądze na niszczenie cery

Bierz kąpiele powietrzne, pozwól skórze oddychać. Zawsze, gdy jest to możliwe, noś przewiewne ubrania. Codziennie uaktywniaj swoje punkty energetyczne. Są dwa rodzaje nagości. Z jednym mamy do czynienia wtedy, kiedy skóra jest wolna od jakiegokolwiek ubrania. Z drugim wtedy, kiedy skóra jest wolna od nałożonych na nią substancji chemicznych. Skóra nie potrzebuje toniku ani kremu, by była czysta i delikatna. Powinna być właściwie oczyszczana i odżywiana. Zrezygnuj z produktów chemicznych, z wszystkiego, co skomplikowane, unikaj pułapek zastawianych przez przemysł kosmetyczny. Skóra – jak system trawienny – przyswaja różne substancje, za jej pośrednictwem przenikają one do krwiobiegu. Niektóre produkty kosmetyczne zanieczyszczają i zatruwają organizm.

Najlepszą terapią dla cery są zdrowe odżywianie, wystarczająco długi sen, czysta woda i szczęście. Wszystko inne to sprawy drugorzędne. Zabiegi oraz kosztowne kosmetyki z powodzeniem można uznać za zbędne. Zabiegi kosmetyczne powinny ograniczać się do głębokiego oczyszczania, odżywiania i ochrony.

Oczywiście wprowadzenie uproszczeń w tej sferze nie jest łatwe. Ulegamy praniu mózgu, któremu poddały nas czasopisma i reklama. Wprowadzają nas w błąd utrwalone przesądy na temat zabiegów kosmetycznych i higienicznych, które powinnyśmy stosować. Dzięki manipulacjom reklamowym ludzie uwierzyli, że im więcej kosztuje dany produkt, tym lepsze daje efekty. Czują się winni, jeżeli nie używają takich produktów. Ale zapytajcie ładną kobietę, czego używa do zabiegów kosmetycznych. Prawdopodobnie powie, że niczego specjalnego.

Młoda twarz

Cienie, opuchnięte oczy z ciemnymi obwódkami często są oznaką zmęczenia i braku energii, wywołanych przez niewłaściwe funkcjonowanie wątroby. Wszystkie te defekty znikną, jeżeli zrezygnujemy z nadmiaru jedzenia, przypraw, mięsa, wędlin, soli, cukru i tłuszczów nasyconych. W odzyskaniu jasnej cery pomoże również przeprowadzenie małej terapii octem winnym. Pij codziennie przez miesiąc pięć łyżek octu winnego wymieszanego ze szklanką wody, a uzyskasz niezwykłe efekty.

Masuj twarz oliwą, skupiając się na okolicach oczu, by pobudzić krążenie. Opukuj serdecznym palcem powiekę górną i dolną. Zaczynając od wewnętrznego kącika oka, prowadź palec najpierw zgodnie z ruchem wskazówek zegara, a potem w odwrotnym kierunku. Za każdym razem wykonaj trzy okrążenia. Następnie gimnastykuj gałki oczne. Opuść brodę i unieś wzrok ku górze, później spojrzyj w dół – powtórz to dziesięć razy. Na koniec wódź oczami dookoła: w lewo i w prawo.

Często patrz na siebie w lustrze i nie uciekaj wzrokiem od swojego odbicia. W ten sposób szybciej dostrzeżesz efekty swoich starań.

Pewne gesty trzeba powtarzać tak długo, aż staną się przyzwyczajeniem. Bycie zdrowym i pięknym nie jest możliwe bez dobrych nawyków.

Zauważ, że nie wszyscy ludzie w takim samym wieku biologicznym mają zbliżony wiek psychiczny. Ci, którym w sensie psychicznym nie przybyło lat, często zachowują się impulsywnie. Robią zakupy pod wpływem nastroju chwili, z radością przyjmują komplementy, są niecierpliwi. Charakteryzuje ich ograniczona ekspresja mimiczna. Mówią wyłącznie w pierwszej osobie liczby pojedynczej, ignorują obecność rozmówcy i nie potrafią się odnaleźć w życiu społecznym.

Natomiast ludzie, których wiek psychiczny zmieniał się razem z wiekiem biologicznym, dużo się uśmiechają, mówią mało o sobie i – paradoksalnie – wydają się młodsi.

Kilka przepisów na domowe kosmetyki

Złuszczanie

1. Zmiel w młynku do kawy fasolę adzuki (drobna czerwona fasola). Łyżeczkę do kawy otrzymanego proszku nasyp w zagłębienie dłoni i skrop przegotowaną ciepłą wodą. Otrzymaną papką delikatnie pocieraj skórę, wykonując czubkami palców koliste ruchy.
2. Pocieraj twarz przez dwie, trzy minuty wewnętrzną stroną skórki papai lub mango. Owoce te zawierają enzymy, umożliwiające rozpuszczenie wydzieliny gruczołów łojowych, czyli sebum. Wielu producentów kosmetyków używa tych owoców jako surowca.

Głębokie oczyszczanie

Zagotuj niepełną szklankę wody, wlej ją do małej miski. Dodaj trzy krople olejku lawendowego lub cytrynowego. Pochyl się nad parującym płynem, przykrywając głowę i miskę ręcznikiem. Taka parówka otworzy pory skóry. Następnie nałóż na lekko rozgrzaną twarz maseczkę z jednej lub dwóch łyżeczek mąki owsianej, zmieszanej z taką samą ilością jogurtu, soku z cytryny, wina ryżowego, soku z selera lub z marchewki. Większość świeżych produktów spożywczych, które masz w lodówce, korzystnie wpływa na skórę. Poeksperymentuj i oceń sama.

Żywność, woda, sen

Staraj się jeść wyłącznie produkty świeże i nieprzetworzone. Pij wodę mineralną, a nie z kranu. To produkt najlepiej służący urodzie. Kładź się spać przed północą i śpij sześć do ośmiu godzin. Większa albo mniejsza ilość snu szkodzi zdrowiu. Wprowadź do posiłków produkty z soi, pomoże ci ona zachować młodość.

Naucz się rozpoznawać i wybierać lecznicze produkty spożywcze: zboża, owoce, przyprawy ziołowe.

To nie zmarszczki postarzają. Raczej matowa i szara skóra, czyli dowód złego krążenia.

Innym sekretem urody jest ocet winny. Rozpuszczony w małej ilości wody usuwa resztki mydła ze skóry i z włosów. Butelka octu toaletowego, delikatne mydło, dobra oliwa, szampon i odżywka do włosów powinny być jedynymi produktami znajdującymi się w twojej łazience.

Podkład

Można powiedzieć, że gdy kobieta znalazła właściwy podkład, zawojuje świat. Kup podkład wysokiej jakości i staraj się, by był na skórze niewidoczny. Stosuj go tylko na czoło, nos i brodę oraz pod oczami. Wystarczy odrobina. Nabierz go na czubki palców, nie wcieraj, tylko delikatnie wklepuj – gdy pokryjesz nim całą twarz, nada ci nienaturalny wygląd.

Poza tym wszystko, co nałożysz na skórę w nadmiarze, zatyka pory. Po raz kolejny mniej znaczy więcej.

Oto jak pielęgnować suchą skórę:

Codziennie zjedz pół awokado. Jedną łyżeczkę miąższu rozetrzyj na krem i nałóż cienką warstwą na twarz. Po dziesięciu minutach delikatnie usuń maseczkę chusteczką higieniczną. Umyj twarz. Znakomity efekt zapewniony, spróbuj!

Najpierw weź prysznic, a potem zanurz w wannie. Do wody dodaj szklankę japońskiego wina ryżowego sake i kilka kropli oliwy.

Jeśli chcesz mieć piękną skórę, unikaj jedzenia produktów mlecznych (poza jogurtami) oraz produktów zbożowych.

Twoja oliwa

Znajdź dobrej jakości oliwę, której będziesz używała do pielęgnowania twarzy, włosów, ciała i paznokci. Większość kremów dostępnych na rynku zawiera glicerynę, która zatyka pory i utrudnia skórze oddychanie.

Ponadto nie wypychaj kosmetyczki mnóstwem gadżetów, nie zapełniaj półek w łazience kolejnymi buteleczkami. Stwórz przestrzeń do zajmowania się swoim ciałem, uczynienia go tak czystym, schludnym i pięknym, jak to tylko możliwe.

Twoje ciało potrzebuje przede wszystkim oliwy, stosuj ją zewnętrznie i wewnętrznie.

Stosowanie wewnętrzne

Zjadanie codziennie z posiłkami co najmniej łyżeczki wysokiej jakości oliwy tłoczonej na zimno jest niezbędne dla zdrowia, ponieważ taka oliwa uelastycznia ścianki jelit.

STOSOWANIE ZEWNĘTRZNE

Oliwa nakładana na skórę szybko się wchłania i przenika aż do kości, zapobiegając w ten sposób złamaniom często występującym u osób w podeszłym wieku. Masaże oliwą, stosowane od starożytności, są nie tylko przyjemnością i luksusem, ale także zabiegiem profilaktycznym.

Szczególnie olej z awokado jest dobry dla skóry i ciała, i twarzy. Zapobiega powstawaniu małych zmarszczek wokół oczu, nadaje skórze elastyczność, rozpuszcza sebum. Nie powoduje tworzenia się zaskórników i jest bogaty w witaminy z grupy B oraz w witaminę E. Używa się go także jako maseczki na włosy.

Od czasu do czasu – raz lub dwa razy w miesiącu – zanim wejdziesz do gorącej wody w wannie, nasmaruj całe ciało oliwą, wystarczy łyżka. Oliwa zostanie całkowicie wchłonięta przez skórę, w którą wniknie tym łatwiej, że pory otworzą się pod wpływem ciepła. Relaks będzie całkowity, jeżeli nastawisz muzykę Vivaldiego i zapalisz świecę zapachową. Po wyjściu z kąpieli twoja skóra będzie miękka, a jej powierzchnia tak delikatna jak u małego dziecka.

Znakomicie możesz oczyścić twarz samą oliwą. Zniknie nawet najbardziej oporny tusz do rzęs. Rozetrzyj kilka kropli oliwy na dłoniach. Masuj nimi intensywnie twarz, zwłaszcza w tych miejscach, gdzie jest najwięcej kosmetyków. Następnie zmocz ręce, pomasuj twarz jeszcze chwilę, a potem umyj ją wodą – letnią lub zimną, ewentualnie z dodatkiem delikatnego mydła. Wytrzyj twarz. Twoim oczom ukaże się miękka, czysta skóra z mniej widocznymi porami, która nie będzie potrzebowała toniku ani kremu. Oto doskonały zabieg minimalistyczny w pełnym tego słowa znaczeniu. Każdy tłuszcz roślinny ma inne właściwości, inną konsystencję. Wybierz ten, który najbardziej ci odpowiada. Olej z awokado ma najbogatszy skład. Zmieszany z kilkoma kroplami olejku eterycznego nadaje skórze przyjemną woń. Możesz także wypróbować oliwę z oliwek, olej ze słodkich migdałów albo z jojoby. Niektóre oleje, na przykład sezamowy, mają dość intensywny zapach i ich używanie bywa mniej przyjemne.

Włosy

Stan włosów zależy w dużym stopniu od sposobu odżywiania. Eliksirem dla włosów są algi i sezam. Tylko kiedy jest ciepło lub wilgotno, myj włosy często. Używaj jak najmniej szamponu. Jeżeli nie chcesz, by jego resztki pozostały na skórze, jak to się najczęściej zdarza, przed użyciem wymieszaj go z wodą. Ostatni raz wypłucz włosy szklanką czystej wody z dodatkiem łyżki octu jabłkowego. Naucz się masować głowę podczas mycia w punktach wskazywanych przez akupunkturę. Często nie dbamy o skórę głowy, tymczasem pod wpływem stresu ściąga się ona i uniemożliwia włosom wzrost. Trzeba odkleić skórę od czaszki, masując ją regularnie dziesięcioma sztywnymi palcami. Umyte i wypłukane włosy osusz ciepłym ręcznikiem. Używaj suszarki jak najrzadziej. Nadaj włosom połysk, nakładając na nie kilka kropel oliwy lub oleju. Chodź do fryzjera regularnie. Im dłużej zaniedbujesz swoje uczesanie, tym dłużej masz zły humor. Czesz włosy z pochyloną głową, by ożywić krążenie krwi w skórze. Ale rób to delikatnie i nigdy wtedy, gdy włosy są mokre. Kup drewniany grzebień z szeroko rozstawionymi zębami. Japonki, zanim uległy europeizacji, nigdy nie szczotkowały włosów. Gdy pójdziesz do fryzjera, nie dawaj mu całkowitej swobody. Dokładnie wytłumacz, czego oczekujesz. Kochaj swoje włosy i szanuj ich strukturę. Naturalne włosy, jeżeli są zadbane, dają kobiecie więcej dystynkcji niż włosy w sztucznych kolorach, ostrzyżone i ułożone w wymyślny sposób.

Poproś fryzjera, by pokazał ci, jak samodzielnie ułożyć fryzurę, jak trzymać suszarkę, jak operować szczotką, gdzie wpiąć szpilki. Poproś go o specjalne spotkanie, by ci wszystko pokazał, doradził, jak upiąć kok lub samodzielnie zrobić treskę. Jeżeli odmówi, poszukaj kogoś o większym zmyśle handlowym. Kształt twarzy, a nawet sylwetki zależy od objętości fryzury. Każde włosy można ułożyć co najmniej w jeden korzystny dla konkretnej osoby sposób.

Jeżeli rodzaj włosów ci to umożliwia, pozwól im urosnąć tak, by móc robić z nich kok. Piękny kok, nawet ułożony z siwych lub szpakowatych włosów, diamenty lub perły w uszach i świetlista szminka na ustach wystarczą, by uczynić z przeciętnej kobiety osobę pełną godności i prawdziwie dystyngowaną.

Maseczka z oliwy lub oleju z awokado

Zrezygnuj z marnowania pieniędzy na produkty przeznaczone do pielęgnacji włosów, których działanie jest najwyżej średnio zadowalające.

Podgrzej pół małej filiżanki oliwy z oliwek lub oleju z awokado – ilość zależy od gęstości i długości włosów. Nałóż na lekko osuszone włosy i owiń ciepłym, wilgotnym ręcznikiem, by tłuszcz mógł wniknąć w skórę. Gdy ręcznik wystygnie, ponownie zanurz go w misce z ciepłą wodą. Operację powtórz pięć, sześć razy. Następnie umyj włosy delikatnym szamponem. Będą bardziej błyszczące, a mniej przesuszone. Do oliwy możesz dodać żółtko świeżego jajka i trochę rumu. Pozwól maseczce działać przez dwadzieścia minut. Amerykanki używają jako maseczki dwóch, trzech łyżek stołowych majonezu. Rezultat jest równie dobry.

Jeżeli możesz, wykonaj raz na tydzień taki domowy zabieg regenerujący.

Paznokcie

Twoje paznokcie dodają ci klasy lub cię jej pozbawiają.

Piękne i wypielęgnowane mają ogromny wpływ na twoje samopoczucie i na wyobrażenie na twój temat, jakie tworzą sobie inni ludzie.

Kilka zabiegów w zakładzie kosmetycznym, wykonany przez profesjonalistę manikiur umożliwiają poznanie właściwych czynności, ich kolejności i przebiegu. Także w tym wypadku zadawaj jak najwięcej pytań i staraj się zapamiętać sposób postępowania. Następnie stań się własną manikiurzystką. Na tacy połóż przybory, ręczniki i miseczkę z ciepłą wodą. Przygotuj ciekawy film na wideo, coś dobrego do picia. Włącz automatyczną sekretarkę w telefonie i poświęć się całą duszą i ciałem swoim dwudziestu klejnotom.

Co należy robić?

1. Opiłuj paznokcie.
2. Natłuść skórki oliwą, by je zmiękczyć, i na kwadrans zanurz końce palców w miseczce z ciepłą wodą.
3. Odsuń skórki szpatułką z drzewa pomarańczowego zanurzoną w oliwie. Usuń fragmenty martwej skóry cążkami. Jeżeli często myjesz paznokcie szczoteczką, skórki rosną wolniej. Absolutnie niezbędna jest więc dobra szczotka z twardym włosiem.
4. Wypoleruj paznokcie polerką.
5. Natłuść paznokcie oliwą i je wymasuj. Zwracaj szczególną uwagę na podstawę paznokcia – miejsce, z którego wyrasta. Nawiasem mówiąc, powinnaś nakładać oliwę na podstawę paznokci przed każdym dłuższym moczeniem rąk w wodzie. Woda to wróg paznokci! Spróbuj się przyzwyczaić do używania gumowych rękawiczek.
6. Usuń nadmiar oliwy chusteczką higieniczną. Następnie nałóż podkład i jedną albo dwie warstwy lakieru. Wbrew temu, co niektórzy sądzą, jeżeli lakier został właściwie nałożony, przetrwa prawie tydzień. Jego warstwa chroni paznokcie.

Kup dobrą delikatną tarkę do usuwania zrogowaciałego naskórka i używaj jej na sucho. Potem opłucz skórę, osusz, a następnie wymasuj ją dokładnie oliwą.

Staraj się znaleźć kształt i długość paznokci, które są korzystne dla twoich dłoni. Jeśli masz perfekcyjnie zadbane paznokcie i ładne dłonie, możesz poprzestać na lakierze, który jest ledwie odrobinę mniej przejrzysty niż podkład. Z kolei ładne świetliste kolory na palcach stóp dadzą ci sekretną przyjemność zawsze, gdy będziesz zdejmować buty.

Pożegnaj się z brudem

Spójrz na swoje wspaniałe ciało. Spraw, że na nowo nawiąże ono kontakt z umysłem

To ty stworzyłaś ciało, które widzisz. Odzyskaj zdrowie, zmieniając swoje przyzwyczajenia. Zacznij od głębokiego oczyszczania – organizm obciążony toksynami nie może funkcjonować we właściwy sposób. Skóra, ten barometr naszego zdrowia, pracuje przede wszystkim jako narząd wydalniczy. Do skutecznego oczyszczenia potrzebne są: woda, mycie ciała szczotką, obudzenie zmysłów i prawdziwa determinacja.

Japończycy, Szwedzi i wiele innych narodów od wieków używają do mycia szczotki. Szczotkowanie ciała połączone ze zrównoważonym odżywianiem stanowi jeden z najskuteczniejszych zabiegów profilaktycznych i kosmetycznych. Jest ono bezpłatne i możesz je wykonać w każdym miejscu, w którym się znajdziesz.

Zyskaj poczucie absolutnej czystości, pokaż światu błyszczącą skórę – myj ją szczotką. Zacznij stosować ten szybki i łatwy zabieg złuszczający. Używanie szczotki pomaga w doprowadzeniu do porządku szarych łokci i paliczków, szorstkich kolan i pięt, zrogowaceń na nogach i łuszczącej się skóry. Kilka dni regularnych zabiegów wystarczy, by osiągnąć spektakularne efekty. Masowanie szczotką przywraca organizmowi energię, a tobie entuzjazm. Praktyka ta wzmacnia działanie systemu odpornościowego. Pory otwierają się i skóra oddycha, paznokcie stają się twardsze.

Komórki skóry osób, które nie używają szczotki, z wolna ulegają degeneracji. Upływ lat powoduje bowiem spowolnienie metabolizmu. Masaż wspomaga także działanie układu limfatycznego, odpowiadającego za wydalanie ubocznych produktów przemiany materii. Masowanie ciała szczotką na sucho stymuluje usuwanie toksyn. Jedna trzecia wszystkich „śmieci" organizmu (około 400 gramów dziennie) jest usuwana wraz z potem.

Ponadto dotyk stymuluje w mózgu produkcję substancji, które odżywiają krew, mięśnie, komórki nerwowe, układ hormonalny, wszystkie narządy. Bez dotyku możemy odczuwać brak wspomnianych substancji tak dotkliwie jak brak żywności.

Zacznij dzień od sięgnięcia po szczotkę i zapewnij w ten sposób korzyści sercu i duszy.

Szorowanie ciała jest rytuałem, wyrazem miłości do samego siebie.

Zawsze zabieraj szczotkę ze sobą w podróż. Zrób wszystko, co w twojej mocy, by dbać o ciało. Kiedy wiesz, czego pragniesz, przebyłaś dziewięćdziesiąt procent drogi.

Większość kobiet żyje podwójnym życiem. Myślą: „Gdybym mogła stracić dziesięć kilogramów i nie była tak zestresowana, gdyby mniej dokuczała mi bezsenność, gdybym spotkała mężczyznę swojego życia...". Zadowalają się egzystowaniem z dnia na dzień, nie żyją w sposób twórczy, zgodny z marzeniami.

Zacznij od zajęcia się swoim ciałem, a wiele rzeczy się zmieni. Szorowanie szczotką pomaga zmienić podejście do zabiegów higienicznych i przyzwyczajenia, zyskać więcej energii, stać się świadomą swojego ciała. Co więcej, to także terapia – skóra jest tkanką mającą wrażliwość emocjonalną, zachowującą w każdej komórce pamięć urazów. Niedawno dokonano odkrycia, że pamięta nie tylko mózg, pamięcią obdarzone są także komórki. Każda cząsteczka naszego ciała zapamiętuje pewne zdarzenia, odczuwa radość i smutek; reaguje w zależności od twojego nastroju. Amerykańska lekarka, Christiane Northup, która stała się sławna ze względu na prowadzenie badań w tej dziedzinie, wyjaśnia, że na przykład dzięki masażom komórki mogą się pozbyć śladów pewnych traum. Kąpiel i mycie szczotką pomagają więc także w leczeniu.

Przyjmij z wdzięcznością to, że cieszysz się dobrym zdrowiem, że jesteś piękna i młoda, i codziennie staraj się doskonalić.

Jak się myć szczotką?

Codziennie przed wzięciem prysznica, przed kąpielą lub przed pójściem spać pięć minut szoruj całe ciało szczotką. Doświadczysz cudownego uczucia delikatnego szczypania i natychmiast zaśniesz. Pozbyłaś się w ten sposób zmęczenia i problemów nagromadzonych w ciągu dnia.

Wyszoruj ciało.

Umyj się pod prysznicem.

Osusz ciało, wycierając je szorstkim ręcznikiem.

Spraw, że twoja skóra zacznie błyszczeć.

Wymasuj ciało oliwą (na całe ciało wystarczy pół łyżeczki do herbaty).

Masaż szczotką zacznij od kostek dużych palców u nogi (zwróć uwagę na paznokcie), następnie przejdź do podeszew stóp, pięt, kostek, łydek, kolan, ud (szczotkuj je dookoła), pośladków, brzucha, piersi, żeber, pach, ramion, przedramion, palców (szczególnie skórek) i dłoni, szyi oraz uszu (nie trzyj ich zbyt mocno). W taki sam sposób osusz ciało po umyciu się, używając szorstkiego ręcznika. Wycieraj się energicznie okrężnymi ruchami, nie zapominając o palcach nóg. Koncentruj się na każdej partii ciała, którą masujesz, wykonuj zawsze okrężne ruchy w kierunku serca.

Zestaw do zabiegów higienicznych

Przyjrzyj się sobie dokładnie w dużym lustrze. Spójrz na miejsca, w których zgromadziły się nadmiar tkanki tłuszczowej, łuszczący się naskórek, popękane naczynka, zrogowacenia, plamy, widoczne żyły, wszystkie zanieczyszczenia, zgromadzone w porach skóry. Twoja łazienka powinna być sanktuarium radości, którą daje czynienie siebie piękniejszym. Usuń z szafki na kosmetyki wszystkie produkty chemiczne. Zamiast nich wstaw tam:

- dobrej jakości szczotkę do mycia ciała z sierści dzika,
- szorstki ręcznik do wycierania ciała,
- łagodne mydło,
- delikatny szampon,
- ręcznik do osuszania włosów,
- oliwę,
- butelkę octu jabłkowego,
- małą porcelanową miseczkę do rozcieńczania octu, spieniania szamponu, przygotowywania maseczek i moczenia paznokci,
- drewniany grzebień.

Cellulit

Kremy sprzedawane w drogeriach nie dają żadnych rezultatów w walce z cellulitem. Natomiast decydującą rolę odgrywa w niej silna wola, a raczej wykonywane dzięki niej ćwiczenia fizyczne i przestrzegana zdrowa dieta. Jedz dużo surowych owoców i warzyw. Unikaj produktów przetworzonych przemysłowo, pij wodę mineralną i ogranicz picie alkoholu (wątroba w złym stanie oznacza gorsze usuwanie toksyn). Nie są konieczne wyrzeczenia dietetyczne czy poddanie się piekielnie trudnemu programowi odchudzającemu. Wystarczy zrezygnować z nieodtłuszczonych produktów mlecznych, czerwonego mięsa, białej mąki, słodyczy, przypraw, nadmiernej ilości soli, potraw smażonych, kofeiny i tytoniu. Maszeruj i biegaj czterdzieści pięć minut dziennie. Masuj ciało szczotką rano i wieczorem. Po pół roku wytrwałych starań cellulit może zupełnie zniknąć.

Wyrusz na wojnę – bierz ciepłe kąpiele, by oczyścić i wzmocnić tkanki. Aby ułatwić wydalanie, wypij przed wejściem do wanny ciepłą herbatę.

Myj oczy i nos

Czy wiesz, że ludzie Orientu myją sobie oczy i nos? Pewnego dnia, kiedy mieszkałam w Japonii, poszłam się zrelaksować do łaźni, prowadzonej przez pewną starszą kobietę. Gdy tylko wyszłam z kąpieli, spytała mnie, czy aby na pewno umyłam sobie oczy. Widząc na mojej twarzy zdziwienie, nie czekała na odpowiedź, tylko poszła po miednicę i konewkę ciepłej wody z pobliskiego źródła. Wlała wodę do aluminiowej miski i zanurzyła mi w niej twarz, nakazując otworzyć bardzo szeroko oczy i poruszać nimi, nawet gdybym odczuwała pieczenie. Obiecała, że po trzykrotnej albo czterokrotnej wymianie wody oczy nie będą mnie już bolały. Usłuchałam jej rad. Otwarłam pod wodą oczy i przy każdym zanurzeniu wstrzymywałam oddech na pół minuty.

Przeżyłam zaskoczenie – po uniesieniu głowy miałam wrażenie, że widzę lepiej. Moje oczy były wypoczęte, a mój nos wdychał powietrze świeższe niż kiedykolwiek.

Dowiedziałam się potem, że praktyka ta jest bardzo często spotykana w krajach Wschodu. Cenią ją zwłaszcza wietnamskie mniszki, dla których czystość ciała jest nierozerwalnie związana z czystością duchową.

Bierz kąpiele oczyszczające

Jak już wspomniałam, w tradycji zen oczyszczenie fizyczne i duchowe stanowią jedność. Wiele hammamów wybudowano przy meczetach czy ośrodkach duchowych, a ich architektura zachęca do kontemplacji. Wykorzystaj na kąpiel chwile, gdy jesteś sama w domu. To jedna z tych rzadkich okazji, gdy możesz się skupić, a zarazem jedno z najbardziej wzbogacających doświadczeń, służących oczyszczeniu ciała i umysłu oraz powrotowi do samej siebie.

Po zbyt obfitym posiłku wypij filiżankę chińskiej herbaty oolong, weź gorącą kąpiel, by się spocić, a następnie natychmiast się połóż. Dopiero kiedy pocenie się ustanie w sposób naturalny, idź pod prysznic, by się odświeżyć. Kąpiel jest dla zdrowia sprawą zasadniczą. Nie tylko pobudza krążenie, ale także pomaga w wydalaniu toksyn. Zawsze gdy bierzesz kąpiel, powinnaś się spocić.

Zimny prysznic po gorącej kąpieli jest prawdziwą przyjemnością. To gimnastyka dla naczyń krwionośnych i serca. Pobudzone zostaje krążenie, co pomaga organizmowi w pozbyciu się toksycznych produktów przemiany materii.

Szorowanie szczotką złuszcza martwe komórki i brud. Namydlanie całego ciała jest zbędne. Umyj mydłem tylko te miejsca, gdzie znajduje się najwięcej gruczołów potowych. W czasie tych zabiegów słuchaj muzyki. Harmonijne dźwięki stymulują wydzielanie hormonu ACTH (hormon adrenokortykotropowy). Efektem jego działania na organizm jest odprężenie i uspokojenie.

Doceniaj kontakt z wodą, wsłuchuj się w szum strumyka czy fontanny. Chińczycy uważają, że ruch wody uruchamia energię czi. Pij dużo, witaj dzień dużą szklanką letniej wody z cytryną. Zdrowie nie jest jedynie brakiem choroby. Zdrowie to witalność i możliwość korzystania z niej. Osoba zrównoważona znajduje w sobie energię i motywację do działania. Potrzebujemy energii życiowej tak jak pożywienia. Należy uważać, by nie uczynić ze zdrowia celu samego w sobie. Trzeba dążyć do zachowania go, by móc żyć i pracować z radością i zapałem.

Wielu ludzi nie docenia znaczenia kąpieli. Codzienne zanurzenie się w wodzie jest absolutnie niezbędne dla zdrowia. Stymuluje metabolizm i rozluźnia napięte mięśnie.

Kąpiel jest w Japonii i w Korei świętością. Tylko nieliczne osoby decydują się na pójście spać bez dopełnienia tego rytuału. Być może dlatego oba te narody cieszą się zdrowiem.

Nie musisz chodzić do fitness clubu

Stwórz własny program

Nie potrzebujesz ustalonego programu ćwiczeń, by uprawiać sport czy ćwiczyć jogę. To twoje ciało powinno wybrać, na co ma ochotę w zależności od nastroju chwili i swoich możliwości. To dla niego się trudzisz.

Czytaj czasopisma i książki, rozmawiaj ze specjalistami, bierz udział w różnych zajęciach. Korzystając z nabytej w ten sposób wiedzy, stwórz program dla siebie. Rozsądna dawka to cztery godzinne seanse tygodniowo. Ważne jest przeplatanie zajęć w pomieszczeniach ćwiczeniami w plenerze i w wodzie.

Stań się bardziej elastyczna, ćwicz jogę

> *Ludzie powinni codziennie poświęcać czas swojemu ciału, w przeciwnym wypadku obudzą się pewnego rana, stwierdzając, że nie jest im już ono posłuszne. Czujemy się dziwnie, gdy przestajemy panować nad ciałem. Kontakt z moim ciałem pomaga mi zachować większą łączność z prawdziwym ja, które się w nim mieści.*
>
> Shirley MacLaine

Życie to płynność, ruch. Powinniśmy stać się bardziej giętcy, by czuć się dobrze. Wierzba gnie się i kołysze na wietrze. Jej istnienie jest pełne piękna i wdzięku.

Marsz, pływanie, ćwiczenia... Siedzący tryb życia jest obecnie tak powszechny, że nigdy nie uruchamiamy pewnych mięśni swojego ciała. A to sprawia, że w organizmie pozostają różnego rodzaju toksyny, powodując zatrucie. Mięśnie pełnią istotne funkcje. Kiedy zmuszasz je do pracy, ukazują swoje naturalne piękno. Prawidłowo umięśnione ciało nawet nieruchome zdradza swoją witalność. Przybiera właściwe, harmonijne i niezdeformowane pozy. A gdy jest w ruchu, możemy podziwiać jego wdzięk. Ciało, nad którym pracujesz, zachowa swoje zalety aż do późnej starości. Bycie całkowicie obecnym w swoim ciele wymaga ćwiczenia wszystkich zdolności umysłowych i fizycznych. Człowiek może osiągnąć oświecenie nie tylko dzięki umysłowi, ale także dzięki ciału. Dążąc do doskonałości, uczymy się wiele o sobie. Wiedzą o tym choćby adepci wschodnich sztuk walki. Ćwicz, by zachować młode i zdrowe ciało. Ćwiczenia fizyczne uciszają niepokój, poprawiają wygląd i dają poczucie kontroli nad sobą. Powinny stanowić część codziennego życia, tak jak przygotowywanie posiłków czy mycie zębów.

Zawsze, gdy dajemy zatrudnienie naszym mięśniom, sprawiamy, że stają się silniejsze. Bezczynność prowadzi do atrofii mięśni, sprzyjającej otyłości i depresji. Jakość życia zależy od intensywności uwagi poświęcanej temu, co robimy, temu, co myślimy, i temu, co wybieramy. Wszystko, na czym się koncentrujemy, będzie się rozwijać.

Staraj się czuć mózg w swoich nogach. Uprawianie sportu pomoże ci strawić twoje myśli. Przebudzi się twoje ciało, a także twój umysł. Być może w czasie ćwiczeń pojawią się zaskakujące myśli. Nie uprawiaj sportu czy jogi wyłącznie po to, by stracić na wadze. Rób to dla przyjemności, jak dziecko biegające po plaży. Szukaj uczucia przyjemności, szukaj energii. Wydaje się, że kobiety uprawiające jakąś formę aktywności fizycznej mają mniej kłopotów i odczuwają mniej stresu. Mają także bardziej pozytywne nastawienie do rzeczywistości.

Joga czyni ludzi piękniejszymi. Nie chodzi tu jedynie o wygląd zewnętrzny, ale o charyzmę, płynącą z wnętrza promienność.

Zachowuj rezerwy życiowe, które są w tobie. Gdy jesteś odprężona, możesz lepiej pracować, nie marnując energii. Staraj się rozluźnić gorset napięć, które cię usztywniają. Działanie to jest niezbędne, jeżeli chcesz się stać wolna także w relacjach z samą sobą.

Joga daje radość, podnosi poziom energii, rozwija zdolność koncentracji i zmysł równowagi. Powinna być praktykowana regularnie, piętnaście skondensowanych minut codziennie. Napięcia fizyczne i psychiczne pociągają za sobą wydatek energii. W czasie każdego rozciągania czerp przyjemność z tego, że czujesz swoje ciało i energię, którą ono promieniuje. Odrzuć wszystkie natrętne myśli i skoncentruj się na tej części ciała, którą właśnie uelastyczniasz. Gdy zakończysz ćwiczenia, stwierdzisz, ile przyniosły ci dobrego. Jogin może zmienić wszystko, co istnieje we wszechświecie, w pozytywną energię. Obudź w sobie tę uśpioną energię, oczyszczając ciało i mobilizując siły umysłowe. Podniesie się poziom twojej inteligencji, wzrośnie twoja mądrość. Wówczas będziesz mogła skutecznie walczyć z wszelkimi negatywnymi skłonnościami.

Chodź przez kilka miesięcy albo i kilka lat na kursy dla początkujących, później będziesz sama wykonywać asany. Dywan, strój z bawełnianego trykotu, duże lustro, łagodna muzyka… Znajdujesz się w czarodziejskiej kuli swojego świata. Odczuwasz swoją odrębność. Zmienia się powoli twój wygląd. To, co na początku wydaje się niemożliwe, często staje się wykonalne już po kilku tygodniach ćwiczeń.

Naucz się dyscypliny

Ciało jest ołtarzem wiedzy i umiejętności. Wróćmy do ceremonii herbaty – koncentruje się ona na nauce form. Dzięki dyscyplinie adept może się uwolnić od komfortu materialnego i fizycznego lenistwa. Trwa w stanie doskonałego spokoju. Możemy również systematycznie i z determinacją poświęcać część naszego czasu na medytację, lekturę, muzykę czy marsz. Zajęcia te powinniśmy wyznaczyć sobie sami i praktykować je z przyjemnością.

W krajach Zachodu dyscyplina kojarzy się z karą, wysiłkiem, cierpieniem. W Azji jest ona postrzegana *a priori* jako dobroczynna dla ciała, umysłu i duszy. W dobie renesansu niektórzy genialni ludzie podnieśli technikę powtarzania i ćwiczenia do rangi twórczości. Nazywa się to ćwiczeniem dłoni i ducha.

Naśladownictwo jest ważne, gdy uczymy się nowych umiejętności. Potem któregoś dnia osiągamy cel. „Robić coś podobnie" poprzedza „robić coś". Kiedy już „robimy coś", możemy być sobą. Istnieje tysiąc sposobów na to, by się doskonalić i błyszczeć jeszcze bardziej, wykorzystując dyscyplinę do służenia pięknu.

Pięć minut intensywnego praktykowania dyscypliny może przynieść lepsze efekty niż czterdzieści pięć minut dyletanctwa. Kto nie poznał mocy i dobrodziejstw dyscypliny, nie może zrozumieć płynących z niej korzyści. Zmuś się do małego wysiłku tylko dla siebie samej – jedz mało, wstawaj o świcie, bierz zimny prysznic, akceptuj pewne trudności. Spraw, by praktyki te stały się elementem twojego stylu życia. Zyskasz w ten sposób więcej siły charakteru i wytrwałości w ważnych sprawach. Półmrok, spokój i cisza wczesnych poranków przyczyniają się do uczynienia z tych umartwień królewskich rytuałów.

Ćwicz się w doskonałości

Doskonałość nie polega na robieniu rzeczy niezwykłych, ale na czynieniu rzeczy zwykłych w sposób niezwykły.

przysłowie japońskie

Jednym z lekarstw na nudę jest wykonywanie pracy w sposób rytualny. Wszystko możemy robić z wyczuciem estetyki, nawet wypełniać nużące obowiązki. Wybierz zajęcie wykonywane w samotności: mycie podłóg, czyszczenie rondli, marsz po lesie, kąpiel, ćwiczenia fizyczne. Staraj się całkowicie mu oddać aż do jego zupełnego zakończenia. Nie spiesz się, nie myśl o niczym innym, zadowalaj się stopieniem w jedno z tym zajęciem tu i teraz. Ćwicz umiejętność koncentrowania się na wszystkim, czym się właśnie zajmujesz. Staraj się zawsze prześcigać samą siebie, robić coś jeszcze lepiej niż poprzednim razem. Myśl o wszystkim, czego dotykasz. Wykonuj poranną toaletę tak, jakby to było ćwiczenie fizyczne. Działaj zgodnie z pewnym porządkiem. Tylu rzeczy musimy się jeszcze nauczyć...

Japoński reżyser Ozu pokazuje, jak należy cenić każdy obowiązek, każde działanie, nawet najmniej znaczące. W chwili wykonywania jakiegokolwiek gestu bohaterowie jego filmów są całkowicie skoncentrowani tylko na tym geście. Bez reszty pochłania ich zajęcie, któremu w danej chwili się oddają, lub to, co w danej chwili mówią. Ich życie nabiera szczególnego sensu, a codzienne czynności są przez nich postrzegane i przeżywane jako niezwykła harmonia form.

By nadać twoim gestom wdzięk i większą płynność, staraj się używać wyłącznie przedmiotów funkcjonalnych i estetycznych. Działaj powoli, z szacunkiem dla każdej chwili, ale ćwicz się także w szybkości.

Możesz przeżywać każdą chwilę jako szansę na dokonywanie kolejnych odkryć.

3. Jedz mniej, ale lepiej

Nadmiar pożywienia

Utyć to w jakimś sensie umrzeć

Nadwaga oznacza w pewnym sensie śmierć. Stanowi rezygnację z elegancji, przyjemności, wdzięku, zwinności, a nawet z prawdziwej twarzy. Jest wręcz równoznaczna z utratą zdrowia. Nadmierny przyrost wagi w istocie blokuje funkcjonowanie najważniejszych organów: serca, wątroby, nerek. Poza tym krępuje ruchy i czyni je ociężałymi, deformuje ciało, uniemożliwia wszelką aktywność. Utycie jest pożegnaniem z wszelką radością, oznacza zbrzydnięcie i przedwczesne zestarzenie się.
Schudnięcie to stanie się młodszym. To odzyskanie sylwetki sprzed lat. To odrodzenie się do radości życia.

artykuł z czasopisma dla kobiet z 1948 roku

Nie ma zdrowia bez świadomości. Żyjemy w społeczeństwie, które cechuje nadmierne spożywanie wszelkich pokarmów, w którym występuje coraz większa liczba przypadków otyłości, będącej chorobą kumulowania – zarówno wrażeń, jak i pożywienia. Cały czas pragniemy mieć więcej, co wywołuje stres będący praprzyczyną przedwwczesnych i nagłych zgonów. Zasadnicze czynniki chorobotwórcze są związane z błędami, popełnianymi przez ludzką inteligencję. Należałoby więc leczyć nie choroby, ale ludzi. Zbyt dużo lub zbyt mało, zbyt wcześnie lub zbyt późno – oto powody choroby. By zyskać naturalną równowagę, trzeba usunąć toksyny fizyczne i psychiczne.

Kochać samą siebie – jedyny sposób, by stracić na wadze

Relacja kobiety z jej własnym ciałem ma bardziej intymny charakter niż jej związki z mężem, dziećmi, przyjaciółmi... To dzięki niemu kobieta istnieje, czuje, daje życie, karmi. Jeżeli ciało nie działa dobrze, jest prawie pewne, że wszystko inne również przestanie działać. Stracić na wadze można tylko pod warunkiem, że będzie się podsycać na tysiąc jeden małych sposobów miłość własną. Dietetyka jest filozofią, mądrością. Żyć szczęśliwie to szukać sensu wszystkich chwil istnienia. Jedzenie mniej jest jednym z głównych sposobów, by uczynić swoje życie prostszym.

Rady, które tu zamieszczam, możesz stosować tylko wtedy, jeżeli nie masz szczególnych problemów zdrowotnych. W żaden sposób nie mogą one zastąpić wizyty u lekarza. Udzielam ich na podstawie własnych doświadczeń. Jestem szczerze przekonana o tym, że nie istnieje jeden skuteczny przepis na szczupłą sylwetkę. Uniwersalna dieta odchudzająca polega na porzuceniu negatywnych myśli. W istocie niemożliwe jest cieszenie się dobrym zdrowiem i wprowadzenie pozytywnych zmian, jeżeli nie odczuwamy ani miłości, ani radości.

Lekkie ciało – lekkie życie

> *Najpoważniejszą chorobą jest lekceważenie naszego ciała.*
>
> Michał Montaigne

Dbaj o swoje ciało. Wychodź na spacery. Uśmiechaj się. Rób sobie pachnące kąpiele. Kupuj piękne i wygodne stroje. Odkryj na nowo, jak wspaniały jest ruch: przeciąganie się, marsz, taniec... Zacznij lubić walkę o równowagę wewnętrzną. By uczynić swoje ciało wolnym, trzeba je zdyscyplinować. By pozostać szczupłą, trzeba jeść mało. Zarówno same wysiłki, jak i uzyskane dzięki nim rezultaty dają nieopisaną satysfakcję.

Żywność złej jakości może powodować poważne negatywne skutki, pozbawiając nas powoli całej energii. Jedz lżej, a przedłużysz sobie życie. Złotą regułą jest jeść mało. Jeżeli nie respektujesz tej zasady, organizm nie przyswoi właściwie nawet produktów najlepszej jakości.

Jedzenie o niskiej wartości odżywczej powoduje brak energii, wizyty u lekarza, konieczność kupowania lekarstw. To kosztuje majątek. Masz gorsze wyniki w nauce, myśli stają się mniej klarowne, kariera rozwija się wolniej, a życie ubożeje. Zbyt obfite pożywienie wymaga nieustannego wysiłku organizmu, by je strawić i przyswoić. Nieusunięte toksyny stają się przyczyną przeziębień, reumatyzmu, zapalenia stawów, sklerozy, raka...

Ludzie czują się usztywnieni dlatego, że ich stawy są pełne brudu. Małe dziecko ma elastyczne ciało, ponieważ nie wchłonęło jeszcze toksyn. Kaszel, zaskórniki, zrogowaciała skóra na łokciach, odciski, krosty, znamiona na skórze – oto symptomy wskazujące, że organizm stara się pozbyć nieczystości. Gdy jest zanieczyszczony, wykorzystuje jedynie jedną trzecią pokarmu, którego mu dostarczamy. Organizmy większości ludzi są zanieczyszczone... Co za marnotrawstwo!

Pożegnaj się z tłuszczem

Otyłe ciało obciąża stawy kolanowe i biodrowe oraz kręgosłup. Nadwyżki pokarmu zaczynają zakłócać pracę układów regulujących poziom cukru i tłuszczu. Powstaje cukrzyca, podwyższa się poziom cholesterolu.

Otyłość pojawia się wtedy, kiedy w organizmie jest za dużo tłuszczu, a za mało mięśni. Jeżeli jesteś umięśniona, spalisz tłuszcz szybciej.

Puste kalorie (niemające wartości odżywczej, dostarczane np. przez cukier czy białą mąkę) spowalniają metabolizm, przyczyniają się do magazynowania tłuszczu.

Mięso i wędliny zawierają tłuszcze, które nie mogą zostać spalone i odkładają się w organizmie w ciągu kilku godzin. Tłuszcze te najpierw trafiają do wątroby, później do krwiobiegu. Krew transportuje je do różnych części ciała. Tam pozostają, a temperatura tych części ciała się obniża. Sprawdź sama – najbardziej zaokrąglone części twojego ciała są najchłodniejsze. Im więcej ktoś ma tkanki tłuszczowej, tym bardziej dotkliwie odczuwa zimno i tym mniej może spalić kalorii. Tkanka tłuszczowa również spowalnia krążenie. Jadaj oleje roślinne wysokiej jakości i tłuszcze rybne, które mają właściwości antynowotorowe i są niezbędne dla zdrowia. Pozbądź się tłuszczu, a pożegnasz się z migrenami, bólami krzyża, zmęczeniem i apatią. Oszczędne jedzenie utrzymuje przewód pokarmowy w czystości i przyspiesza usuwanie resztek pokarmowych. Pamiętaj: być wolnym to znaczy opierać się pokusom. Polecam lekturę książek wspaniałej lekarki, Catherine Kousmine, poświęconych temu tematowi.

Posiłki – skromność i wyrafinowanie

Drewniana miseczka

Dietetycznym ideałem jest jedzenie podczas jednego posiłku produktów o ograniczonej różnorodności. Pokarmy są wówczas łatwiej przyswajane i trawione.

Niektóre narody cieszą się znakomitym zdrowiem aż do późnego wieku dzięki swoim nawykom żywieniowym. Mieszkańcy Himalajów jedzą na przykład ryż, kilka małych pieczonych w popiele ryb i nieco jarzyn z własnego ogrodu. W Chinach stulatkowie jedzą wywar ze zmiażdżonej kamieniem kukurydzy z dodatkiem kilku warzyw ugotowanych w woku.

Zwykle podczas posiłków używam pięknej drewnianej miseczki. Wyznacza ona ilość pożywienia, która jest dla mnie wystarczająca pod względem fizjologicznym (mówi się, że żołądek ma wielkość pięści), i pomaga mi ograniczać różnorodność produktów: trochę ryżu, łyżka zielonych warzyw, mały kawałek ryby (lub jajko czy tofu) doprawione sezamem i ziołami. Zimą zawiesista zupa, latem sałatka z rozmaitych jarzyn. Ludzie Wschodu w dni powszednie zadowalają się często miseczką ryżu, zupy lub makaronu. Drewniana miseczka jest symbolem ubóstwa i skromności dla tych mistyków, którzy postępują zgodnie z własnymi ideałami i wyznawaną etyką. Jest to niema kontestacja nadmiaru, w którym żyje nasze społeczeństwo. Na dodatek żyje na koszt milionów innych istnień ludzkich.

Jedz wykwintnie w pięknym otoczeniu

Kiedy danie jest doskonałe, pięknie podane i spożywane w budzącym zachwyt otoczeniu, nie potrzeba dużej porcji, by poczuć się sytym. Wystarczy kilka kęsów. Jakość karmi nas na wiele sposobów.

Szczęście oznacza znalezienie sensu w każdej chwili życia. Jeżeli jadasz w brzydkim miejscu, będziesz rekompensować sobie potrzebę piękna nadmiarem jedzenia. Przygotuj się do posiłku – zmień strój, uczesz się, odśwież. Poczujesz się lepiej w swojej skórze i będziesz jeść mniej. Staraj się także podawać posiłki w sposób jak najbardziej estetyczny. Nigdy na brzegu kuchennego blatu!

Unikaj naczyń z plastiku i papieru. Jeśli usuniesz na dobre te dwa materiały ze swojego stołu, twoje życie nie będzie już takie samo. Całe pokolenia

Japończyków znały jedynie wyrabianą ręcznie ceramikę, drewno i lakę. To, jak sądzę, stanowiło motywację do podawania najmniejszego kawałka rzepy z niedoścignionym poczuciem estetyki. Niestety, nasze dzieci dorastają w świecie plastiku i nie odróżniają już materiałów szlachetnych od mało wartych. Plastik ma swoje miejsce wyłącznie w lodówce.

Ktoś powie, że są to nieistotne szczegóły, ale to dzięki tym szczegółom możemy wzbogacić naszą codzienność. Także drobiazgi przypominają nam, że życie jest przyjemnością. Poczucie sytości nie zależy od ilości, ale od jakości – naszego pożywienia, otoczenia i umysłu.

Mówi się, że żyjący na pustyni esseńczycy przed posiłkiem brali kąpiel, a następnie gromadzili się w małych sanktuariach, przywdziawszy uroczyste stroje. Nakładali sobie jedzenie tylko raz i jedli z małych miseczek.

Jeżeli podajesz gościom najpierw szparagi, grillowaną rybę i razowy chleb właśnie wyjęty z pieca, a potem dojrzały ser, nie przepraszaj za skromność posiłku. Nasze społeczeństwo nie zna już przyjemności, którą daje zdrowe jedzenie. Żywność przesadnie wzbogacamy, ponieważ została zbyt zubożona i nie ma już naturalnego smaku.

Powinniśmy się wzorować na zasadach żywienia przestrzeganych na przykład przez Adwentystów Dnia Siódmego. Ich religia zakazuje im jeść produkty przetworzone w wyniku procesów chemicznych. Cała żywność powinna być całkowicie naturalna, ekologiczna. Nie trzeba dodawać, że we wspólnotach adwentystów niewiele osób jest chorych.

Także szejkerzy hołdowali temu najwyższemu luksusowi, jakim jest jadanie posiłków ze świeżych produktów (wyhodowanych przez nich samych). Jako przypraw używali jedynie ziół.

Jedz wolno i wytwornie

Nie trzeba liczyć kalorii, ograniczać się ani wydawać majątku na żywność ekologiczną. Te działania mają cechy zachowań kompulsywnych. Trzeba natomiast zwracać uwagę na to, co myślimy, i na to, co czujemy. „Jeść dobrze" oznacza jeść wytwornie, powoli i mieć szacunek dla pożywienia oraz dla swojego organizmu. Kontrolować swój sposób jedzenia to kontrolować swoją wagę. Weź wdech przed zjedzeniem każdego kęsa. Pozbądź się wraz z wydechem stresu i negatywnego nastawienia. Degustowanie i wolne tempo jedzenia idą w parze.

Nasze potrzeby żywieniowe zaspokoją codziennie trzy porcje warzyw, dwie porcje owoców, sześć porcji węglowodanów (chleb, ryż, makaron) oraz dwa razy na tydzień mała ilość białka (ryba, tofu, jajko, mięso) i warzyw strączkowych (fasola, soczewica, groch). To mniej więcej dwieście gramów ryżu, chleba, makaronu, sto gramów ryby, mięsa, tofu i około pół kilograma warzyw i owoców. Objętość posiłku nie powinna przekraczać wielkości pięści lub grejpfruta. Dzięki tak prostym zasadom skróceniu ulegnie czas spędzony na gotowaniu.

W dawnej Japonii kuchnia była miejscem świętym, stworzonym po to, by przygotowywać posiłki, sprzyjające rozwojowi duchowemu. U Japończyków posiłki kreują życie i myśli. Nawet w naszych czasach jedynym produktem, który Japończycy jedzą do syta, jest ryż, podawany zawsze na zakończenie posiłku. Pozostałe dania natomiast degustują, smakują, skubią końcami pałeczek, wiedząc, że prawdziwy sens tego, co dobre, i bogactwo rzeczy jedynie dyskretnie zasugerowanych odkrywane jest wyłącznie dzięki pewnej ascezie.

Wyposażenie kuchni

Żywić się to nie tylko jeść. To także przygotowywać, gotować, podawać, przyjmować gości... i karmić swoją duszę. Oddawaj się przyjemności mycia warzyw, krojenia ich i gotowania na parze... Wybierz dobrej jakości podstawowe naczynia i przybory. Utrzymuj kuchnię w nieskazitelnej czystości i uruchom wyobraźnię.

MÓJ ZESTAW PODSTAWOWY:

- porządny, dobrze naostrzony nóż,
- deska do krojenia,
- miarka z podziałką, służąca także jako miska do mieszania sosów,
- mały grill w formie płyty (łatwy do wyjęcia i schowania),
- mały garnek do ryżu i dań duszonych,
- wok i koszyk bambusowy do gotowania na parze,
- sitko,

- tarka wielofunkcyjna,
- trzy rondle mieszczące się jeden w drugim (z odłączanymi uchwytami),
- trzy lekkie miseczki do mieszania składników potraw,
- tuzin białych ścierek,
- nożyce kuchenne,
- forma do tarty z pyreksu,
- forma do ciasta z pyreksu,
- warząchwie, łyżki wazowe.

Umieść naczynia na półce nad zlewozmywakiem tak, żeby wszystko mieć pod ręką, kiedy gotujesz. Unikaj zbędnych ruchów. Zmywaj naczynia na bieżąco. Kuchnia powinna znajdować się w nieskazitelnym stanie, zanim zasiądziesz do stołu.

Kilka napomnień dietetycznych

Czyste jelita

Gdy w XIX wieku chory szedł do lekarza, ten zalecał mu na początek lewatywę. Długo wyśmiewano ten rodzaj praktyk, ale znów stały się one modne. Mają nowe formy, lecz ich założenia są identyczne. Lewatywę wykonuje się przede wszystkim w celach profilaktycznych lub kosmetycznych (utrata wagi, poprawa wyglądu skóry). Nie lekceważ zaparć. Ich wynikiem jest zatrucie krwi, mogą one być też przyczyną poważnych chorób. W jelicie grubym mnożą się bakterie gnilne, pojawiają się polipy, czasem rak.

Zaparcia są często chroniczne podczas podróży lub gdy w naszym życiu zachodzą zmiany. Złość, stres, niepokój także przeszkadzają w dobrym funkcjonowaniu jelit. Mózg wysyła sygnał, który blokuje pracę wnętrzności. Źle funkcjonujące jelita podlegają deformacji, są zablokowane, ich ściany oblepiają masy kałowe, co powoduje bóle głowy, obrzęki nóg, cellulit, hemoroidy itp.

By uregulować trawienie, staraj się zjadać co najmniej trzydzieści gramów błonnika dziennie. Bogate jego źródła to chleb razowy, niełuskany ryż, fasola, algi, agar (można go kupić w sklepie z żywnością naturalną), bataty, śliwki suszone, jarzyny i owoce. Jeżeli jesz zbyt dużo lub tłusto, błonnik nie zadziała. Cukier, alkohol, biała mąka, mięso, dodatki chemiczne utrudniają trawienie, powodują procesy gnilne w jelitach.

To nie żołądek trawi pokarm, robią to jelita. Ale żołądek nie może być wypychany kawałkami potraw. Żuj każdy kęs tak, by idealnie go rozdrobnić i wymieszać ze śliną. Wieczorem jedz lżejsze posiłki, by ulżyć wątrobie. Noc jest czasem usuwania tego, co zbędne, i oczyszczania organizmu.

Cudownym produktem neutralizującym zakwaszenie ciała jest cytryna. Przez dwadzieścia jeden dni pij od rana do wieczora wodę z sokiem z cytryny. Pierwszego dnia z jednej cytryny, drugiego z dwóch, trzeciego z trzech i tak dalej, aż do jedenastego dnia (sok z jedenastu cytryn!). Następnie zmniejszaj liczbę owoców o jeden dziennie, aż dojdziesz do jednego. Może się wydawać, że wypicie takiej ilości soku jest przesadą, ale jeżeli pijesz go w niewielkich dawkach kilka razy w ciągu dnia, terapia nie jest nieprzyjemna, a jej efekty są niezwykłe, zwłaszcza u ludzi cierpiących na cukrzycę. Możesz się o tym przekonać, sprawdzając papierkiem lakmusowym pH swojego moczu.

Pamiętaj także, że produkty zbożowe, spożywane w zbyt dużych ilościach, nawet jeżeli są zrobione z pełnej i znakomitej jakości mąki, zakwaszają organizm. Zasadowa jest jedynie większość warzyw i owoców.

W przypadku zaparć i ogólnego zmęczenia unikaj spożywania zbyt dużej ilości czerwonego mięsa, jajek, skorupiaków, przypraw i alkoholu. Są to produkty działające na twój organizm zakwaszająco, osłabiające układ odpornościowy.

Długa tradycja postu

Post jest praktykowany od pradawnych czasów z powodów zarówno dietetycznych, jak i duchowych. W wielu krajach do dziś ma charakter rytualny. Nie pozbawia organizmu niczego, co jest istotne dla zdrowia. Nie kosztuje ani grosza. Poszczą nawet zwierzęta.

Po odbyciu postu organizm potrzebuje mniej pożywienia i zadowala się małymi porcjami. Czujesz, że masz kości i że krąży w tobie energia. Pracujesz z większym entuzjazmem, a problemy wydają ci się mniej poważne. Masz wrażenie, że ciało i umysł przestają ciągle czegoś chcieć, domagać się, pragnąć, zazdrościć, pożądać... Znikają wszystkie negatywne uczucia. Post pomaga wrócić do bardziej zrównoważonego odżywiania. Umysł nie jest już przegrzany. Możemy żyć, zjadając jedną trzecią tego, co zjadaliśmy dotychczas.

Psychiczne przygotowania do postu

Krótkie, następujące po sobie głodówki są łatwiejsze pod względem psychicznym i fizycznym niż te trwające kilka tygodni, wymagające pewnego przyzwyczajenia. Poszczenie jest praktyką, w której należy się doskonalić. Zacznij od powstrzymywania się od przyjmowania pokarmu przez pół dnia, następnie przez jedną dobę, później przez dwie – w czasie spokojnego weekendu lub wakacji. Jeżeli chcesz podjąć dłuższy post (maksimum dwadzieścia dni), nie rób tego bez zasięgnięcia rady dietetyka lub specjalisty w dziedzinie żywienia.

Jednodniowy post raz w tygodniu lub dwudniowy raz w miesiącu powinny stanowić część naszej higieny żywienia.

Post wymaga determinacji i wzięcia odpowiedzialności za swoje czyny. Toksyny, których źródłem są pożywienie, alkohol, papierosy, stres, mogą dzięki niemu zostać usunięte z komórek.

Zanim rozpoczniesz post, wiedz, że gorzej go przerwać, niż nigdy nie zacząć. Żołądek się kurczy i wydziela mniej soków trawiennych, jeżeli zatem zaczniesz jeść, nie przygotowując się do tego, problemy gwarantowane.

W okresie, gdy nie przyjmujesz pokarmów, pij, przebywaj na powietrzu, ćwicz i unikaj problemów. Przygotuj swój post niczym rytuał. Wyobrażaj sobie radość i korzyści, które ci przyniesie. Nie da on pozytywnych wyników, jeżeli się do niego zmuszasz i podejmujesz go tylko dlatego, by stracić na wadze. Przypomnij sobie, że przede wszystkim daje on energię, oczyszcza organizm i poprawia nastrój. Jak już powiedziałam, do postu trzeba się przygotować psychicznie. Na początku spróbuj nic nie jeść podczas weekendu trzy, cztery razy w roku i przeprowadź sprzątanie swojego organizmu.

Głodówka jest bezużyteczna, jeżeli nie zostaje podjęta w duchu umiarkowania i poszanowania dla organizmu. Jej powodzenie zależy głównie od twojego stanu ducha w chwili, gdy ją zaczynasz.

Podczas postu pij dużo wody mineralnej. Pomaga ona w wydalaniu toksyn pochodzących ze spalania tkanki tłuszczowej.

Kup sobie ładny kubek i zamów dwie zgrzewki wody gazowanej. Apetyt stopniowo zniknie. Gdybyś piła na przykład sok owocowy, żołądek byłby stymulowany i ciągle domagałby się pożywienia.

Zwykle podniebienie jest cały czas łaskotane przez jakieś pokarmy – smakuje jeszcze ostatni posiłek lub już oczekuje następnego. Gdy niczego nie jesz, pamięć sensoryczna znika, a post staje się przyjemnością. Ale tylko wtedy, jeśli jest całkowity.

Organizm zaczyna wówczas korzystać z rezerw i eliminować to, czego ma zbyt dużo. Przerwa w spożywaniu pokarmów pomaga mu spalić nadmiar tłuszczu i wydalać trucizny. Głodówka odtruwa organizm. Jako pierwsze rozkładane są toksyny i chore tkanki. Oszczędność energii, która nie musi być zużywana na trawienie, wspomaga proces oczyszczania i usuwania szkodliwych substancji z najodleglejszych komórek. Powoli tworzą się nowe tkanki i zaczyna się proces oczyszczania. W czasie postu ciało karmi się samym sobą, równocześnie spalając to, co szkodliwe. Przyczynia się więc on znacząco do utrzymania zdrowia i w dużym stopniu leczy zapalenie stawów, reumatyzm, zapalenie okrężnicy, egzemy i wiele innych chorób. W Indiach lekarze zaczynają terapię chorób nowotworowych od zalecenia głodówki. Hipokrates już dawno temu nauczał, że pożywiając się, karmimy swoje choroby.

W trakcie postu i po jego zakończeniu

Zacznij od zażycia roślinnego środka przeczyszczającego (nie powoduje niebezpieczeństwa uzależnienia). To pomoże ci doświadczyć pierwszych skutków twojego oczyszczenia. Następnie około południa, jeżeli będziesz odczuwać niewielkie osłabienie, weź zimny prysznic i wymasuj ciało. Przypomnij sobie, że żyjesz teraz dzięki spalaniu swojego tłuszczu. Maszeruj trzy godziny dziennie. Będziesz zaskoczona, gdy poczujesz energię, zyskaną dzięki temu, że pozwalasz swojemu żołądkowi odpocząć. Niektórzy mogą myśleć: „Pusty żołądek i siła, by maszerować trzy godziny dziennie – akurat!". Ależ tak! Jeżeli na początku jest ci trudno, przypomnij sobie swoją obietnicę: „Iść do przodu małymi krokami". Zacznij od kwadransa pierwszego dnia. Pół godziny następnego, godzina – kolejnego.

Te małe zwycięstwa nad samą sobą dają ci ufność i wiarę, pozwalają w przyszłości toczyć kolejne bitwy.

Nie wybiegaj myślą zbyt daleko, samo wspomnienie jedzenia może wywołać głód. Staraj się więc myśleć o czymś innym. Wyobrażaj sobie przyjemność wynikającą z noszenia bardziej dopasowanych strojów, ze zdobycia większej kontroli nad sobą, z płynniejszego poruszania się, ze zniknięcia drobnych dolegliwości.

Stymuluj zmysły oraz intelekt na wszelkie możliwe sposoby: czytaj, medytuj, słuchaj muzyki... Nie spędzaj czasu w łóżku. Im bardziej będziesz zajęta, tym lepiej.

Okres po zakończeniu postu jest równie ważny jak sam post. Nie wracaj do dawnych nawyków żywieniowych, zwłaszcza gwałtownie. Przez pierwszy dzień po zaprzestaniu głodówki pij sok owocowy rozcieńczony wodą, a dopiero wieczorem sok bez wody. Drugiego dnia jedz owoce, a wieczorem jogurt i sałatę. W końcu trzeciego dnia wprowadź małe ilości produktów zbożowych, na przykład jedna kromka chleba razowego w południe, następna wieczorem – z sałatą lub zupą. Żuj jak najdłużej i jedz wolno. Podczas pierwszych posiłków wystarczy kilka kęsów. Do zwykłego pożywienia możesz wrócić około czwartego dnia.

Pość, by:

- stracić na wadze (to najszybszy sposób),
- czuć się lepiej fizycznie i psychicznie,
- wyglądać i czuć się młodziej,
- pozwolić odpocząć organizmowi,
- poprawić trawienie,
- mieć jaśniejsze oczy,
- mieć piękniejszą cerę,

- mieć świeży oddech,
- myśleć sprawniej,
- nabrać lepszych nawyków żywieniowych,
- mieć większą kontrolę nad sobą,
- spowolnić proces starzenia,
- unormować poziom cholesterolu,
- zapobiegać bezsenności i napięciu nerwowemu,
- żyć intensywniej,
- nauczyć swój organizm nie jeść więcej, niż potrzebuje.

Adept postu

Poznałam Amerykanina mającego sześćdziesiąt lat, który przemierza trzy kilometry dziennie i którego ulubioną radą jest: „Mniej znaczy więcej".
Zachowuje on post jeden lub dwa dni w tygodniu. Siedem dni na początku każdej pory roku pozostaje na diecie sokowej. W tym czasie przez cały dzień sączy sok przygotowany z sześciu pomarańczy, trzech grejpfrutów, dwóch cytryn i wody mineralnej w ilości równej ilości soku z owoców.

Poczuj na nowo, co to głód

Jedz tylko wtedy, gdy odczuwasz głód

Wybierz rytm życia, który jest dla ciebie odpowiedni. Jedz produkty zaspokajające potrzeby twojego organizmu (ryby, warzywa, świeże owoce, aromatyczne zioła, oliwy dobrej jakości, raz lub dwa razy w tygodniu sto gramów grillowanego mięsa), a nie twoje łakomstwo! Większość ludzi je, ponieważ odczuwa niepokój albo się nudzi. Otyłość wynika z trudności w zmierzeniu się z problemami życiowymi. Stres i pośpiech są dwoma wrogami człowieka występującymi w naszej cywilizacji. Kiedy żyjemy zbyt „szybko" i zbyt „mocno", niektóre tkanki zużywają się szybciej. Naucz się mieć czas i nie być zestresowaną, umiej powiedzieć „nie", przygotowuj wspaniałe, proste potrawy. Ćwicz się także w eliminowaniu wszystkiego, co jest negatywne. Jedzenie nie jest naszym wrogiem. Przeciwnie – jest naszym najlepszym lekarzem.

Jedz, kiedy jesteś głodna. Smakuj do końca każdy kęs. Przestań jeść, gdy się nasycisz.

W najlepszym ze światów (ujmując rzecz z punktu widzenia dietetyki) kierowalibyśmy się mądrością, jaką odznaczają się zwierzęta, i jedlibyśmy tylko wtedy, gdy jesteśmy głodni, a nie o wyznaczonych w arbitralny sposób porach. Niemowlęta potrzebują sześciu miniposiłków dziennie, w odstępie trzech, czterech godzin. Ideałem byłoby więc spożywać niewielką ilość pokarmu właśnie co trzy, cztery godziny.

Naucz się jeść tylko wtedy, gdy twój żołądek jest pusty, a nie wtedy, kiedy nadchodzi godzina siadania do stołu, nudzisz się sama w kuchni, jesteś zmęczona po zakończeniu jednej pracy domowej, a przed rozpoczęciem następnej, chcesz sobie zrekompensować stresujący dzień, jesteś szara z przygnębienia, zielona ze złości czy żółta z zazdrości.

Wszystko to wydaje się proste, ale wymaga trenowania „mięśni" umysłu, znajdujących się w stanie zaniku, ponieważ były źle używane. Trzeba najpierw rozpoznać uczucie głodu, następnie uczucie, że zjedliśmy już dość. Trzeba także nauczyć się odróżniać to, co chciałby zjeść twój organizm, od tego, co dyktują ci twoje pragnienia. Gdy widzisz ciastko, na które masz ochotę, staraj się postawić sobie pytanie: „Wolę ciastko czy ciało, w którym czuję się dobrze?". W końcu trzeba nauczyć się naprawdę poznawać smak jedzenia. Organizm jest niezwykle precyzyjnym mechanizmem, lubi, by się nim zajmować. Ma jednak system samoregulacji. Wystarczy, że potrafimy ten system uruchomić. Głód czasem nadchodzi, a czasem nie. Organizm i jego wymagania zmieniają się w zależności od licznych czynników. Jeżeli nie wiemy, o której godzinie odczujemy potrzebę opróżnienia jelit, nie wiemy też, o której godzinie ogarnie nas głód. Są dni, gdy wystarczy przekąska około godziny 16.00, i dni, gdy głód odczuwamy tuż po przebudzeniu. Dlaczego więc narzucać organizmowi plan dnia? Swoboda polegająca na jedzeniu jedynie wtedy, gdy łakniesz pożywienia, da ci wolność odmawiania zjedzenia czegokolwiek, kiedy tego nie potrzebujesz.

Stopnie głodu

1. jesteś bezgranicznie głodna (należy unikać tego stanu, ponieważ łapczywie zjadasz każde pożywienie),
2. jesteś zbyt głodna, by zastanawiać się nad tym, co jesz,
3. jesteś bardzo głodna – musisz natychmiast coś zjeść,

4. jesteś umiarkowanie głodna – możesz jeszcze poczekać,
5. jesteś trochę głodna – naprawdę głodna nie jesteś,
6. jesteś syta, odprężona po posiłku,
7. czujesz się trochę źle, jesteś ociężała, masz ochotę spać,
8. czujesz się naprawdę źle, boli cię żołądek,
9. odczuwasz ból całego brzucha.

Wielkość twojego żołądka odpowiada temu, co może on przyjąć, by czuł się zaspokojony.

Impuls, który popycha nas do jedzenia kilka razy dziennie (a czasem do jedzenia niemal bez przerwy), nie jest związany z potrzebą uzupełnienia wyczerpanych zapasów. Często coś, co uważamy za mały głód, jest w rzeczywistości szukaniem pocieszenia, miłości lub piękna, łagodzeniem stresu, zmęczenia, smutku lub znudzenia.

Jedzenie, gdy nie jesteśmy głodni, destabilizuje. Przyzwyczajaj się do tego, by unikać takiego postępowania. Wymaga to wysiłku, koncentracji i zaangażowania. Już jutro od rana zacznij czekać na jego wysokość głód i ciesz się tą perspektywą. Twój żołądek z pewnością powiadomi cię o jego przybyciu.

Oczywiście stosowanie powyższych rad nie jest łatwe, gdy podlegamy określonemu rozkładowi dnia. Trochę pomysłowości i zapobiegliwości może zdziałać cuda. Spróbuj przygotować sobie dietetyczne przekąski: krokiety z ryżu, tuńczyka i ogórka w liściu sałaty, kanapkę z razowego chleba z połówką plasterka szynki, banan.

A oto użyteczny trik – gdy masz ochotę coś przegryźć, ale tak naprawdę nie jesteś głodna, weź do ust małą łyżeczkę dowolnego sosu typu *chutney* i pozwól mu się rozpuścić na języku. Postaraj się poczuć pięć smaków, które podobno są tym, czego szukamy w pożywieniu: słodki, słony, kwaśny, gorzki i cierpki. Pamiętaj, że twój umysł odczuwa głód częściej niż twoje ciało.

Napoje

Czy wiesz, że puszka słodzonego napoju zawiera odpowiednik dwunastu kostek cukru? Jedzenie zbyt słonych produktów pociąga za sobą łaknienie cukru. Nadmiar cukru na nowo budzi ochotę na sól. Następnie chce nam się pić... By uregulować pragnienie, trzeba przede wszystkim unikać zbyt słonych i zbyt słodkich pokarmów.

Wypicie zbyt dużej ilości płynów prowadzi do utraty wapnia i witamin. Twój organizm zadał sobie wiele trudu, by je zmagazynować. Trud ten idzie na marne, gdy się pocisz lub wydalasz za dużo moczu.

Picie podczas posiłku jest błędem. Ale brak szklanek i kieliszków na stole wywołałby sprzeciw wielu osób. Do jedzenia pasuje przecież wino. Ale czy picie alkoholu podczas każdego posiłku jest konieczne? Czy nie ma w życiu innych przyjemności? Żaden lud Azji nie popija jedzenia. Japończycy przygotowują herbatę piętnaście minut po posiłku. Zdziwicie się zapewne, gdy powiem, że nie znali szklanki ani kieliszka, zanim nie przyjęli zachodnich wzorców. Wiedzieli już w dawnych czasach, że picie zbyt dużej ilości płynów przed posiłkiem albo podczas posiłku rozcieńcza cenne soki żołądkowe, których zadaniem jest umożliwienie strawienia tego, co jemy. By dobrze strawić posiłek, nie należy więc pić zbyt dużo. Zupa zawiera wystarczająco dużo płynu, by zaspokoić potrzeby naszego organizmu, podobnie jak warzywa i owoce.

By nie odczuwać nadmiernej potrzeby picia, należy unikać pokarmów zakwaszających (zwłaszcza cukru i białej mąki) i zbyt słonych. Cukier i sól zmuszają organizm do zatrzymywania płynów, pomagających zneutralizować te substancje. Zbyt tłuste pokarmy także działają zakwaszająco. To dlatego czujesz pragnienie po zjedzeniu frytek.

Należy pić między posiłkami. Zatwardzenie często jest spowodowane brakiem płynów, zwłaszcza u osób starszych.

Pamiętaj też, że alkohol, tak jak tytoń, usztywnia naczynia krwionośne, sprawia więc, że się przedwcześnie starzejemy.

Cudowny ocet winny

By stracić kilka kilogramów, wypijaj co rano po przebudzeniu łyżeczkę miodu i łyżkę octu jabłkowego, rozpuszczone w szklance ciepłej lub chłodnej wody. Ocet jabłkowy ma zdolność usuwania nadmiernej ilości białka i ma takie same właściwości jak świeże jabłka. Rozpuszcza toksyny zgromadzone w stawach, zaopatruje organizm w potas i czyni ciało elastycznym.

Jedz proste i dietetyczne posiłki

Jedynie ryż dobrze komponuje się ze wszystkimi produktami spożywczymi. Jego połączenie z roślinami strączkowymi tworzy korzystną dla zdrowia substancję odżywczą. Jedzony w lecie z sałatą, a w zimie z zupą ugotowaną z trzech lub czterech warzyw i kawałeczkiem ryby lub mięsa stanowi proste, zrównoważone, pożywne, oszczędne i dietetyczne danie na obiad lub kolację.

Jedyne właściwe zasady dotyczące jedzenia, których należy przestrzegać, są następujące:

1. Jedz wyłącznie produkty jak najmniej przetworzone przemysłowo i świeże; unikaj produktów dietetycznych, ogranicz mrożonki i konserwy.

2. Desery jedz tylko od czasu do czasu.

3. Spożywaj potrawy i napoje o temperaturze pokojowej, nigdy bezpośrednio po wyjęciu z lodówki.

4. Nie pogryzaj między posiłkami.

5. Ogranicz się do jednego rodzaju białka dziennie.

6. Jedz posiłek bezpośrednio po jego przygotowaniu (resztki tracą wartość odżywczą).

7. Wyeliminuj tłuszcze zwierzęce i utwardzane tłuszcze roślinne, używaj oliwy z oliwek tłoczonej na zimno.

8. Wystrzegaj się soli i cukru.

9. Preferuj gotowanie na parze lub pieczenie w papilotach w piekarniku.

10. Przede wszystkim nie bądź żywieniową moralistką. Pozwól przyjaciołom jeść, co chcą, i nie rób im wykładów z dietetyki. Trudno przestrzegać wymienionych zasad bardzo dokładnie, zwłaszcza jeżeli nie

jadasz sama. Ale zawsze możesz próbować dostosować te zasady do konkretnej sytuacji. Najważniejsze jest jedzenie małych porcji produktów wysokiej jakości. Zakomunikuj swojemu otoczeniu, że wspólne spędzanie przyjemnych chwil nie musi oznaczać przesiadywania godzinami przy stole.

Możesz kreować i materializować swoje myśli

Każdego dnia pracuj nad swoim sposobem myślenia. Godzina po godzinie możesz zyskiwać zdrowie, powodzenie życiowe, szczęście dzięki swoim myślom, przekonaniom, sytuacjom, które powtarzasz w laboratorium twojego umysłu. Warunek jest jeden – w umyśle musi powstać jakaś wizja. Jeśli jej nie będzie, umysł okaże się bezradny. Nie będzie mógł niczego zdziałać, ponieważ nie ma wyznaczonego kierunku, w którym może podążać.

W świadomości kreujesz wszystkie myśli, jakie tylko chcesz. Im są one silniejsze, tym większa szansa, że zmotywują cię do osiągnięcia celu. W ten sposób stajesz się materializacją własnego idealnego wizerunku, osobą pełną witalności, wdzięku, zdrowia. Możesz zdecydować, kim chcesz się stać. Nosisz w sobie ten potencjał.

Będziesz na przykład mogła zamienić swój kompulsywny apetyt w nieodparte pragnienie posiadania szczupłego, młodego ciała. Jedzenie mało i dobrze, prowadzenie harmonijnego trybu życia, dbanie o zdrowie lub tworzenie bogatszych relacji z ludźmi wpływa na twój umysł w sposób równie naturalny jak inne twoje funkcje życiowe.

Nie jest potrzebna żadna kontrola

Gdy wyobrażasz sobie, że osiągnęłaś cel i naprawdę pozwalasz twojej podświadomości przekonać się, do czego jest podobne to uczucie, cel staje się niezwykle kuszący. Masz motywację większą niż kiedykolwiek. Niektórym osobom nie zawsze udaje się osiągnąć sukces dzięki wysiłkowi woli. Liczy się ich rzeczywiste pragnienie osiągnięcia pewnego celu i sposób, w jaki do tego przystępują. Cała wola świata będzie dla ciebie bezużyteczna, jeżeli niczego od niej nie żądasz. Nie jest możliwe, by stale mieć silną wolę. To dlatego, gdy tylko kończysz dietę odchudzającą, odzyskujesz dawną wagę. Ale jeżeli raz dobrze zaprogramowałaś swoją podświadomość, możesz jeść, co chcesz. Nawet jeśli jednego dnia zjesz zbyt dużo, twój umysł powie ci następnego: „Wszystko w porządku, ale teraz nie jedz przez jakiś czas". I apetyt nie da o sobie znać jeden albo dwa dni. Nadmiar kalorii zostanie spalony.

Jeżeli ważysz za dużo, prawdopodobnie mówisz sobie, że tak się rzeczy mają i że tak będzie już zawsze. Ale jeśli przypomnisz sobie okresy, gdy ważyłaś mniej, albo jeśli wyobrazisz sobie przyszłość, gdy rzeczy będą się miały inaczej, odrodzi się twoja odwaga, odrodzą się nadzieje. Pomysł, by przenieść się w przyszłość i doświadczyć realizacji swoich celów, jest bardzo starą metodą.

Sugestie i wizualizacje

Psychika posługuje się obrazami. Nie przypominasz sobie posiłku zdaniami, ale wyobrażeniami. Ćwicz się w wizualizowaniu zdrowego i smacznego pożywienia. Podczas przyjęcia twoja ręka automatycznie sięgnie po koktajl owocowy zamiast po ciasteczka.

Wyobrażaj sobie pokarmy, o których wiesz, że dadzą ci energię, piękną cerę, wspaniałe włosy: suszone figi, sałatkę z tofu, miseczkę wyłuskanych owoców granatu, biszkopt sezamowy...

Twój idealny wizerunek

Twoje prawdziwe „ja" kryje się w tobie, nie pokazujesz go światu. Zamknij oczy, odpręż się, a następnie wyobraź sobie siebie idealną – we właściwych wymiarach. Stwórz taki obraz siebie, jaki uważasz za zgodny z twoimi dążeniami. Wczuj się w tę osobę, spróbuj nią być. Upewnij się, że to rzeczywiście ta osoba, którą chcesz się stać. Oczywiście, jeżeli masz matową cerę i sto sześćdziesiąt centymetrów wzrostu, nie możesz być kopią Claudii Schiffer. Ale próbuj wykreować żywy, jak najbardziej rzeczywisty obraz. Wyobraź sobie sposób, w jaki chciałabyś żyć. Odczuj swoją witalność, energię, lekkość. Zobacz swój wygląd w najdrobniejszych szczegółach (biżuteria, makijaż, buty, fryzura). To twoje prawdziwe ja. Ciało, które masz, będzie się powoli kształtowało na wzór tego, które sobie wyobrażasz.

Zobacz także liczbę, którą chciałabyś odczytać na skali wagi łazienkowej, przedstawiającą idealny ciężar twojego ciała. Twoja podświadomość ją zna. Obrazy, które zobaczyłaś w wyobraźni, każą jej zmienić je w twoje ciało. Wzbudź w sobie uczucie miłości do samej siebie, bardzo silne wewnętrzne przekonanie,

że jesteś warta idealnego wizerunku, który stworzyłaś. Zwróć się do tej wyimaginowanej osoby o pomoc
w traceniu kilogramów, które cię więżą, poproś o radę,
odwagę, wytrwałość, rozsądek. Poproś ją o pokazywa-
nie ci w wielkim lustrze obrazu twojego prawdziwego
„ja" w chwilach, gdy będziesz tego potrzebowała. To
odbicie wytyczy ci kierunek działania.

Codziennie trenuj

Staraj się powtarzać tę wizualizację przez dwadzieścia jeden następujących po sobie dni. Nie zmieniaj nawet najmniejszych szczegółów. Wizualizuj zawsze po
krótkiej relaksacji. Jesteś w trakcie wpisywania nowego
schematu w komórki mózgu. Gdy schemat stanie się
szczegółowy i jasny, twoje ciało zostanie skłonione do
posłuszeństwa. Ono wykonuje jedynie to, co podykto-
wała mu podświadomość. A ona nie odróżnia doświadczenia rzeczywistego od wyobrażonego. Dlatego staraj
się stworzyć odczucie bycia w swoim nowym „ja". Ale
nie mów nikomu o swoich celach. Wyjaśnienie czegoś osobom, które nie znają podobnych metod i które w nie wątpią, zmniejszyłoby twoją energię. Przede
wszystkim zaufaj swojemu wewnętrznemu „ja". Większość ludzi je z powodu niepokoju. Dlatego powinnaś
wyobrażać sobie swój upragniony wygląd, a nie widok
osoby, która katuje się ćwiczeniami w sali gimnastycz-
nej albo która szlocha z głodu nad kilkoma ziarnkami
groszku na talerzu.

Wizualizacja jest ćwiczeniem, dzięki któremu będziesz mogła coraz lepiej rozumieć, czego pragniesz.

Wszyscy jesteśmy więźniami naszej psychiki. By się wyzwolić, musimy ją zaprogramować. Jeśli postrzegasz siebie jako osobę dobrze zbudowaną, zastąp ten wizerunek obrazem osoby szczupłej. Nawet ciało, które nigdy nie było smukłe, może się takie stać. Tak jak zawsze: dostaniesz jedynie to, co chciałaś. Wprowadź do swojej podświadomości właściwe dane. Ciało realizuje to, co dyktuje mu podświadomość.

Podświadomość dokładnie wie, jak funkcjonuje nasz organizm, o wiele lepiej niż lekarze lub my sami. To ona, a nie czasopisma, otoczenie czy nawet nasze uczucia, powinna nam wskazać naszą idealną wagę, wygląd naszego ciała, decyzje, które należy podjąć.

Właściwie zaprogramowana podświadomość w sytuacji konfliktu jest o wiele silniejsza niż wola. Słowa i obrazy stymulują procesy życiowe tak samo jak rzeczywiste działania. Raniące zdanie trudniej wybaczyć niż przemoc fizyczną. Bycie świadkiem wypadku jest przeżyciem o wiele bardziej traumatycznym niż wszystkie relacje na jego temat, jakie można usłyszeć.

Cele, diety, informacje, ćwiczenia… Wszystko przyczynia się do dostarczenia właściwych danych do twojego wewnętrznego komputera.

Apetyt jest kontrolowany przez podświadomość. Ustal precyzyjny cel, dzięki temu stracisz kilogramy. Zapisz na papierze wagę, do której dążysz. Dysponujesz środkami, by osiągnąć ten cel!

Pracuj nad swoimi afirmacjami

Zbierz swoje afirmacje, ulubione cytaty, znaczące zdania i uczyń z nich osobisty tezaurus.

Powtarzaj sobie:

Jestem na drodze prowadzącej do mojego celu — to posiadanie idealnego ciała, które już we mnie jest. Przysięgam, że zrobię wszystko, co będzie w mojej mocy, by ten cel osiągnąć jak najszybciej: jeść mało, ćwiczyć, kupować zdrową żywność, zmienić otoczenie...

Cokolwiek się zdarzy, będę się koncentrować na swoim celu i nie pozwolę, by zatrzymała mnie jakakolwiek przeszkoda. Ten doskonały obraz jest we mnie i pozostanie tam na zawsze. Zdobędę to, co jest konieczne, by obraz przekształcić w rzeczywistość.

Jest we mnie idealnie pasująca do budowy mojego ciała waga, czuję się znakomicie i jestem piękna. Wiem, że małe porcje pożywienia wystarczają mi, i jestem tym zachwycona. Widzę siebie wyraźnie, gdy mówię „nie" pustym kaloriom. Lubię kogoś, kogo widzę w lustrze, dostrzegam już osobę, którą się niedługo stanę. Kocham sama siebie bezwarunkowo.

Wizualizacje i afirmacje idą z sobą w parze. Najlepszy sposób na zapisanie w podświadomości obrazów to wejście w stan głębokiego relaksu.

Skondensowanie myśli w jednym zwięzłym zdaniu uczyni ją łatwiejszą do zapamiętania, kiedy będziesz ją sobie powtarzać. Nie należy wykonywać tu żadnego wysiłku, angażować żadnej siły duchowej.

Krótkie zdania łatwiej zapisują się w podświadomości. Są łatwiejsze do zapamiętania.

Najpewniejszą metodą przezwyciężenia niewłaściwych wyobrażeń jest powtarzanie zwięzłych, konstruktywnych, harmonijnych myśli. Umysł zostaje dzięki temu zaprogramowany na nowo.

Przez dwadzieścia jeden dni powtarzaj rano i wieczorem listę afirmacji, aż głęboko się one w tobie zakorzenią. Wytworzą pozytywne uczucia i będą cię prowadzić przez życie, chroniąc przed koniecznością wystawiania twojej woli na próbę. Te afirmacje i wizualizacje są twoimi strażniczkami, obrończyniami. Leżą u podstaw twoich decyzji i wyborów, odgrywają zasadniczą rolę w twoim życiu.

Lista sugestywnych afirmacji

Odczytuj tę listę w całości lub częściowo, jak możesz najczęściej. Kąpiąc się, słuchając muzyki, przed wyjściem z przyjaciółmi, w metrze... Noś kserokopię w torbie i staraj się zapamiętać kilka fragmentów zawsze, gdy tylko będziesz mogła.

SPOSÓB JEDZENIA, JAKOŚĆ I JEJ BRAK

• Pusty żołądek sprawia, że myśli są jasne, uszlachetnia umysł i powoduje miłe odczucia.
• Otoczenie, w którym jemy, jest tak samo ważne jak posiłek.
• Diety są niebezpieczne, ponieważ popychają do zachowań kompulsywnych.
• Jedzenie staje się problemem tylko wtedy, gdy zostanie źle wybrane lub spożyte w niewłaściwy sposób. Wystarcza mi, kiedy ryż, makaron czy chleb jem raz na dzień.
• Tłuste pokarmy wywołują u mnie pragnienie.

- Ciepłe potrawy dają mi więcej przyjemności niż zimne.
- Zawsze używam tego samego naczynia, by kontrolować wielkość spożywanych porcji.
- Mogę sobie pozwolić na jeden czy dwa kęsy nawet najbardziej tuczącej potrawy.
- Jem wyłącznie świeże produkty.
- Lubię świadomość, że mój żołądek nie jest zmęczony nieustannym trawieniem.
- Żuję pożywienie tak długo, aż stanie się płynne, a płyny piję małymi łykami.
- Umiem odróżniać głód od pragnienia.
- Podczas jednego posiłku jem ilość pokarmu odpowiadającą wielkości mojej pięści.
- Jeżeli zjem zbyt dużo, mój organizm nie będzie mógł wszystkiego wykorzystać.
- Tak często, jak to możliwe, jem w domu.
- Wielu ludziom brakuje witalności, ponieważ jedzą zbyt dużo.
- Zielenina jest przyjacielem, który zyskuje przy bliższym poznaniu.
- Picie podczas posiłku zaburza odczuwanie sytości.
- Nie należy jeść produktów złej jakości. Jemy ich zbyt dużo, by zrekompensować sobie brak przyjemności jedzenia.

Dietetyka

- Cukier, sól, alkohol powodują puchnięcie nóg, obrzęki twarzy i przekrwienie tkanek.

• Najlepszym źródłem energii są: pełny ryż, bataty, ziemniaki.

• Najlepszym źródłem białka są: tofu, ryby, orzechy włoskie, orzechy laskowe, migdały.

• Sól, biała mąka, cukier i chemiczne dodatki do żywności sprzyjają tworzeniu się cellulitu.

• Puste kalorie odbierają energię, źle wpływają na metabolizm.

• Jem mięso, ryby, jarzyny, poddając je jak najmniejszemu przetworzeniu.

• Kiedy jestem głodna, zjadam węglowodany ulegające powolnemu spalaniu, na przykład kromkę pełnoziarnistego chleba cienko posmarowaną miodem.

• Jeżeli jem świeże produkty, nie potrzebuję zażywać suplementów.

• Cukier domaga się cukru, sól – soli, alkohol – alkoholu.

• Alkohol zawiera dużo cukru, a cukier zamienia się w tłuszcz.

• Warzywa zawierają naturalną sól.

• Po dwóch, trzech miesiącach zapomina się smak soli i cukru.

ZAUFANIE DO SIEBIE

• Jestem piękna, jestem szczęśliwa, jestem pełna wdzięku, jestem sobą.

• Mam zaufanie do siebie i czuję się dobrze w swoim towarzystwie.

• Źródłem piękna jest akceptowanie siebie.

• Każdy odniesiony sukces daje mi wiarę w następny.

- Nawet jeżeli pofolgowałam sobie wczoraj, wiem, że dzisiaj mogę się ponownie zdyscyplinować.
- Mogę być szczupła, nawet jeżeli nigdy taka nie byłam.
- Mogę urzeczywistnić swój idealny wizerunek.
- Mogę być tak piękna i szczupła, jak tego pragnę.
- Mogę poprawić swój stan zdrowia, patrząc na swoje odbicie w lustrze i darząc się miłością.
- Mogę być piękna, nie będąc do nikogo podobna.
- Kocham siebie taką, jaka jestem, i zawsze będę siebie kochać.
- Jeżeli będę darzyć uczuciem swoje ciało, ono odwzajemni mi się tym samym.
- Mój umysł kieruje moim ciałem.
- Jestem osobą promienną i pełną witalności.
- Istnieje co najmniej dziesięć sposobów, które umożliwiają mi bycie w pełni sobą.
- Zaufanie i kontrola są dwoma różnymi rzeczami. Mam zaufanie do swojego ciała.

WOLA

- Jeżeli wybieram to, co chcę zjeść, mogę także wybrać odmowę zjedzenia czegoś.
- Wyznaczam sobie cel i angażuję się w jego osiągnięcie.
- Zamieniam kompulsywne jedzenie na zachowanie prowadzące do zyskania szczupłej sylwetki.
- Tylko ja mogę kontrolować swoją wagę.
- Potrzebuję zasad, ponieważ mój umysł nie wie, czego pragnie.

• Kiedy będę głodna, zakomunikuje mi to mój organizm, nie muszę o tym myśleć.

• Szczupła sylwetka jest nagrodą za jedzenie małych ilości pożywienia.

• Po posiłku powinnam czuć się pełna energii i lekka, a nie zmęczona czy senna.

Czas

• Wszystko, co jem, nie odczuwając głodu, sprawia, że moje ciało tyje.

• Jedzenie jest prawdziwą przyjemnością tylko wtedy, gdy jestem głodna.

• Lepsze dla poprawienia metabolizmu jest sześć małych posiłków niż dwa duże.

• Mogę odczuwać głód jednego dnia, a drugiego nie.

• Powinnam zawsze przed jedzeniem postawić mojemu ciału pytanie, czego pragnie.

• Powinnam zachowywać aktywność ruchową dwadzieścia minut po posiłku.

• Post powinien być zaplanowany, nie należy go mylić z pominięciem posiłku.

• Nie jem trzy godziny przed snem, mój żołądek powinien zakończyć pracę.

• Piję piętnaście minut po posiłku, moje ciało nie ma ochoty na więcej niż jeden rodzaj pokarmu naraz.

• Jedzenie na zapas sprawia, że tyję.

• Należy się doskonalić w sztuce, którą jest poszczenie.

• Gdy się nudzę, potrzebuję stymulacji, nie kawałka czekolady.

• By szybciej zyskać poczucie sytości, powinnam jeść przede wszystkim to, co najbardziej lubię.

WYOBRAŻENIA I POSTAWA

• Postawa szczupłej kobiety tworzy szczupłe ciało.
• Świadomość i postawa liczą się tak samo jak znajomość dietetyki.
• Każdego dnia mojego życia chcę być możliwie jak najbardziej sobą.
• Tłuszcz mnie obezwładnia. Pogryzam coś po to, by zapomnieć o problemach, kłopotach, cierpieniach...
• Moją energię blokuje strach przed starzeniem się i przed przytyciem.
• Moje nawyki żywieniowe tworzą moją rzeczywistość.
• Pożywienie jest moim najlepszym lekarzem.
• Jestem panem mojego ciała i mojego życia.
• Mogę iść do restauracji i poprzestać na rozmowie, nie muszę jeść.
• Nie uda mi się skłamać, moje ciało zdradzi, co zjadłam.
• Nie potrzebuję tuzina sukienek, potrzebuję szczupłej sylwetki.
• Powinnam wybrać między zjedzeniem wszystkiego, co mam na talerzu, a swobodnym zapinaniem suwaka w spodniach.
• Wyobrażam sobie idealną liczbę, która ukaże się na mojej wadze łazienkowej.
• Zawsze muszę być świadoma swoich problemów emocjonalnych.

• Powinnam przewidywać wpływ picia alkoholu na moje ciało.

• Rezygnuję z wszystkiego, co pochłania moją energię – niezdrowej żywności, mało interesujących ludzi, przeszkadzających mi przedmiotów, przeciętności.

• Nie powinnam gromadzić w organizmie tłuszczu.

• Dziękuję mojemu organizmowi za to, że jest zdrowy.

• Traktuję mój organizm jak mojego najlepszego przyjaciela.

• Nie robię sjesty, jem mało – to wszystko.

• Między mną a moim pożywieniem panuje pokój, jedzenie wzbogaca moje życie.

• Moje ciało jest moją świątynią; zamieszkuję je z szacunkiem.

• Jeżeli dzisiaj zjem zbyt dużo, nie będę głodna jutro ani pojutrze.

• Mój umysł postrzega przede wszystkim obrazy; dotyczy to jedzenia, sylwetki, strojów, przyszłości.

• Tracę kilogramy, gdy przestaję się koncentrować na liczbie, którą obecnie pokazuje waga.

• Przygotowywać swoje posiłki to troszczyć się o swoje zdrowie i urodę.

• Karmię się jakością we wszystkich dziedzinach.

• Moje spodnie są moim najuczciwszym sędzią.

• Utrata wagi wymaga planu.

• Można zeszczupleć, gdy czyny idą w ślad za myślami.

• To, co jest pokarmem dla moich myśli, jest równie ważne jak to, co pokrzepia moje ciało.

• Wybierając to, czego domaga się moje ciało, będę w zgodzie z samą sobą.

Zabiegi kosmetyczne

• Powinnam dbać o siebie, by skuteczniej dbać o innych.

• Nie chcę niszczyć mojego ciała produktami chemicznymi.

• Notuję ciężar odczytany na wadze niezależnie od tego, jaki on jest.

• Moje ciało może stać się piękniejsze dzięki ćwiczeniom mięśni brzucha, zdrowemu odżywianiu i właściwej postawie.

• Codziennie przez pięć minut szoruję na sucho ciało szczotką.

• Nie mam z góry ustalonego programu ćwiczeń, decyduje o nim mój organizm.

• Zbyt długi odpoczynek prowadzi do rdzewienia, to znaczy do niszczenia samej siebie.

UMYSŁ

Absurdem jest być nieświadomym samego siebie,
kiedy chcemy poznać całą resztę.

Platon

Od wieków człowiek wie, że dolegliwości cielesne są nierozerwalnie związane z cierpieniami duchowymi.

Ale trzeba czegoś więcej niż podjęcie decyzji, by kontrolować swoje pasje i odzyskać równowagę. Potrzebna jest pełna zmiana stylu myślenia.

Twoim podstawowym obowiązkiem jest więc zajmowanie się sobą, bycie przyjaciółką samej siebie, okazywanie sobie szacunku.

Pewne tradycje (zwłaszcza zachodniego kręgu kulturowego, bogatych krajów) utrudniają zaakceptowanie powyższej opinii. Nazywają ją namawianiem do nadmiernego skupiania się człowieka na sobie, pochwałą narcyzmu... Ale zajmowanie się sobą u Sokratesa, Diogenesa, mistrza Eckharta czy wielkich mędrców hinduskich ma zawsze wydźwięk pozytywny. Ich poglądy przyczyniły się do powstania najbardziej surowych i rygorystycznych, ale także najbardziej uniwersalnych etyk, jakie kiedykolwiek stworzył świat Zachodu i Wschodu: epikureizmu, stoicyzmu, buddyzmu, hinduizmu.

Asceza jest postawą niezbędną do uzyskania spokoju i poznania siebie. Podejmowanie wysiłków, by się doskonalić, prowadzi przede wszystkim do wyzwolenia siebie. Nie wymagać zbyt wiele od życia, unikać przesady, być skromnym – to zasady, których powinniśmy się trzymać, jeżeli chcemy się zmienić.

We wszystkich kulturach troska o samego siebie jest nieustannym podawaniem w wątpliwość. Przypomina, że rozmyślanie nad kataklizmami, złem czy absurdalnością świata jest bezużyteczne, że wzrok trzeba zwrócić ku małym rzeczom, od których bezpośrednio zależy nasze życie.

Możemy i powinniśmy stać się odpowiedzialni za siebie, zmieniać się i doskonalić (dzięki technikom zapamiętywania przeszłości, rachunkowi sumienia, ćwiczeniom związanym z rezygnacją, dyscypliną i wstrzemięźliwością, utrzymywaniu higieny ciała i umysłu).

Jedyny cel, ku któremu zmierzamy i do którego powinniśmy zawsze niezmiennie dążyć – niezależnie od upływu czasu i nadarzających się okazji – to „ja". Jest w naszej mocy, by kontrolować siebie, doskonalić się i w ten sposób odnaleźć pełnię.

Ale zajmowanie się sobą i kultywowanie sztuki życia powinny stanowić jedność.

„Trzeba chronić to »ja«, bronić go, uzbroić je, szanować, honorować, objąć w posiadanie i ułożyć całe swoje życie wokół niego – powiedział Seneka. – W kontakcie z nim możemy doświadczyć największej, jedynej uprawnionej radości, pozbawionej niepewności i stałej".

Seneka pisał także do Lucullusa: „Jeżeli robię wszystko w swoim interesie, dzieje się tak dlatego, że zainteresowanie sobą samym poprzedza wszystko inne".

1. Ekologia twojego wnętrza

Oczyść umysł

Troski i stres

Możemy zanieczyścić umysł negatywnymi, niespokojnymi, lekceważącymi lub rozproszonymi myślami. Trzeba je wszystkie wymazać, by zadbać o swoje wnętrze. Niewłaściwe myśli trzeba zastąpić postawą pozytywną. Nazwa ta oznacza pracę wewnętrzną nad doskonaleniem siebie, wysiłek duchowy. Agresji i lękom, rozsiewanym często przez media, trzeba przeciwstawić wiedzę, sztukę, piękno, poszukiwanie szczęścia, pokój i miłość.

Im spokojniejszy jest umysł, tym łatwiej kierować naszym składem informacji, porządkować go, organizować i móc go wykorzystywać w dobrych celach. Nasze prawdziwe zadanie to przygotowanie się do wyższych form życia.

Niepokój jest jedynie myślą. Niczym więcej. Trzysta lat temu słowo „myśl" oznaczało w języku angielskim „niepokój". Dziewięćdziesiąt procent rzeczy, którymi się martwimy, nigdy się nie zdarza. Oczywiście są trzęsienia ziemi, wybuchają pożary, ludzie chorują na nieuleczalne choroby. Ale katastrofy na ogół pojawiają się częściej w naszej wyobraźni niż w realnym świecie. Emocje, niepokój, depresje nerwowe są toksyczne. Niszczymy samych siebie umysłowo i fizycznie. Gdy się buntujemy, gdy odczuwamy strach, zazdrość, frustrację, nienawiść, żal, negatywne myśli blokują umysł, uniemożliwiają zapanowanie w nim miłości i szczęścia. Usztywnienie ciała spowodowane jest zesztywnieniem umysłu. Niepokój niszczy układ nerwowy i hormonalny, wszystkie te tkanki, które kontrolują wydalanie. To tłumaczy, dlaczego niektóre niespokojne osoby nie mogą stracić na wadze, nawet gdy jedzą mało. Troski zakłócają sen, powodują cukrzycę, pojawianie się zmarszczek, siwych włosów, odbierają cerze zdrowy kolor. Zaburzają zdolność koncentracji i podejmowania decyzji. Blokują naszą energię i rozregulowują metabolizm. Ale ciągłe troszczenie się z jakiegoś powodu to jedynie nawyk. Ludzie, którzy nie potrafią z nim walczyć, umierają młodo. Leczenie osób znerwicowanych przebiega bardzo wolno, ponieważ sama nerwowość jest chorobą przewlekłą, która na dodatek pociąga za sobą inne. Jak uczynić swoje życie spokojnym, jeżeli trwonimy energię na nieustanne troski?

Niektórzy lekarze twierdzą, że najbardziej szkodliwe dla ciała i ducha skutki niesie strach przed upływem czasu. Ten neurotyczny lęk może się stać przyczyną przedwczesnego starzenia. Na szczęście jesteśmy obdarzeni dużym potencjałem i mamy zdolność nauczenia się, jak uleczyć siebie, przywrócić sobie zdrowie i radość życia.

Kiedy myślimy o naszych problemach, powoli przestajemy wiedzieć, czego chcemy i kim jesteśmy. Stres rozbija nas na atomy, obraca w proch. Istotne jest, by wyzbyć się złości, uzewnętrznić ją, sprawić, by opuściła nasze ciało.

Oto najważniejsze zasady dotyczące walki ze stresem:

• Jeść dobrze i zdrowo.

• Zapewniać organizmowi ruch, dotleniać go.

• Wykonywać zabiegi kosmetyczne, zapewnić sobie trochę przyjemności.

• Respektować zegar biologiczny: trawienie, wydzielanie hormonów, reprodukcja komórek… Najlepszym sposobem poznania tego rytmu jest prowadzenie przez miesiąc zeszytu, w którym zapisujemy, kiedy jesteśmy głodni, czujemy senność, spadek poziomu energii. Należy starać się powoli regulować swoje życie w zależności od tego osobistego rytmu.

• Spać wystarczająco długo.

• Chodzić spać i wstawać każdego dnia o tej samej porze. Cykle snu trwają dziewięćdziesiąt minut. Jeżeli spóźniliśmy się na jeden pociąg, trzeba czekać na następny.

• Czerpać radość z jedzenia, spożywać posiłki w spokoju, unikać hałaśliwych restauracji.

• Jeść proste potrawy, świeże jarzyny, ryby, oliwy dobrej jakości, sezonowe owoce.

• Pamiętać, że posiłek zjedzony w miłej atmosferze, spokojnie i z przyjemnością ma inny wpływ na metabolizm niż jedzenie spożyte w złych warunkach.

• Odrzucać zaproszenia na obiad, które wiążą się z przymuszaniem samej siebie, rezygnować z tłustych czy słodkich dań.

• Pozwolić sobie raz dziennie na małą ilość czekolady ze względu na to, że zawiera magnez i zapewnia dobry sen.

• Zapamiętać raz na zawsze, że zbyt duża ilość alkoholu zakłóca sen i utrudnia organizmowi nocną regenerację.

• Nigdy nie jeść za mało ani zbyt dużo (często głodny jest nasz mózg, a nie nasz żołądek).

• Jeść śniadanie. Idealnie byłoby, gdyby to ono stanowiło nasz podstawowy posiłek. Najlepsze śniadaniowe menu składa się ze słonych, konkretnych dań, a nie ze słodkich przegryzek.

• Ruszać się. Aktywność fizyczna to najlepszy środek zwalczający stres. Ale powinna być regularna, miarowa i harmonijna. Lepsze jest dziesięć minut codziennie niż godzina raz w tygodniu.

• Spacerować wśród zieleni. Spacer rozjaśnia myśli i pomaga relatywizować problemy. Nie zapominaj o wdychaniu ujemnych jonów nad brzegiem rzeki czy przy fontannie.

• Ziewać, śmiać się, nie być zawsze poważnym.

Stres zaczyna cię toczyć, dlatego że mu na to pozwalasz. Naucz się bronić przed nim murem spokoju.

Jesteśmy tym, co myślimy

Odcień cery, bruzdy, zmarszczki mimiczne… Nasze radości, cierpienia, stresy są wypisane na naszej twarzy, w naszych rysach. Można z nich wyczytać wszystko.

Przeżycie życia bez świadomości tego, kim jesteśmy, prowadzi do degradacji i destrukcji. Nasza egzystencja jest tym, czym uczynią ją nasze myśli. Składamy się z wibracji. Mamy moc wpływania na te wibracje, nadawania sensu naszej rzeczywistości, otworzenia się na wszystkie istniejące możliwości.

Jednak uda nam się to zrobić tylko wtedy, gdy mamy jasną świadomość rzeczy, naszych czynów, naszych myśli. Nasza podświadomość pracuje dwadzieścia cztery godziny na dobę i magazynuje nasze myśli. Każda z nich jest przyczyną, a to, co z niej wynika – skutkiem. Powinniśmy więc być odpowiedzialni za swoje myśli, by stwarzały nam wyłącznie korzystne warunki.

Świat wewnętrzny tworzy świat zewnętrzny. Naucz się wybierać swoje myśli. Podejmij decyzję, że będziesz miła, radosna, kochająca, a świat odpłaci ci tym samym.

Staraj się umacniać w umyśle przekonanie, że spotka cię to, co najlepsze. Kontroluj swoje myśli, by skierować je ku rzeczom sprawiedliwym, pięknym i mającym sens.

Wszystko w tobie jest odbiciem twoich myśli. Wyobraź sobie, że twój umysł jest ogrodem. Wysiewasz w nim nasiona. To, co zbierasz – witalność, zdrowie, przyjaciele, status społeczny, sytuacja finansowa – jest owocem twojej aktywności umysłowej. Zasadnicze znaczenie ma więc poświęcenie myślom jak najwięcej uwagi. Poprzedzają one postawę, a za nimi podąża energia. Oznacza to, że świat, który cię otacza, jest odzwierciedleniem twoich myśli, a ty jesteś odpowiedzialna za swoje życie.

Zdrowie zależy od postawy wewnętrznej. Życie wymaga, byś nigdy nie wyrzekała się tego, co jest w tobie najlepsze. Twój styl myślenia i wyrażania się warunkują także twoje ruchy, pozy, które przyjmujesz, dobre lub złe samopoczucie. Staniesz się silna tylko pod warunkiem, że będziesz potrafiła żyć spokojnie i w sposób zrównoważony.

Unikanie pewnych myśli

Adepci *wu wei* mawiali: „Jeżeli bezużyteczne rzeczy nie wprowadzają zamętu do twojego umysłu, to znaczy, że przeżywasz właśnie najlepszy okres w życiu".

Żyjemy w niewoli psychicznej, którą sami sobie narzuciliśmy. Tkwimy w okowach własnych wierzeń i opinii, naszej wiedzy oraz w okowach wpływów otoczenia.

Jeżeli nasz umysł jest przepełniony, nie możemy normalnie funkcjonować. Zbyt wiele rzeczy nas pochłania, przeszkadza nam się skoncentrować, sprawia, że jesteśmy zagubieni,.

Im starsi się stajemy, tym bardziej nasz umysł się zapełnia. Wreszcie przypomina strych pełen niepotrzebnych, zapomnianych rzeczy. Może nie jesteśmy tego świadomi, ale proces myślenia trwa nieprzerwanie. Jak spędzamy czas? Jakie są nasze ambicje? Czy rzeczy, o które walczymy, są tego warte?

Wprowadzenie ładu do umysłu oznacza usunięcie tego, co nie przyczynia się do zaspokajania potrzeb, i zrobienie miejsca dla rzeczy, które są dla nas ważne. Każda myśl pozostawia w umyśle ślad i wzmacnia lub osłabia system odpornościowy.

Brak przedmiotów ułatwia życie, a unikanie jednych myśli tworzy miejsce dla innych. Jeżeli regularnie ćwiczysz powstrzymywanie się od pewnych refleksji lub usuwanie ich z umysłu, unikniesz konsekwencji, które mogłyby one za sobą pociągnąć.

Ułóż listę myśli pojawiających się najczęściej w twojej świadomości. Są podobne do taśm magnetofonowych, których słuchasz przez cały dzień od nowa i do których jesteś tak przyzwyczajona, że nie przychodzi ci już do głowy, że można się ich pozbyć.

Poświęć odpowiednio wiele wysiłku, czasu i dokładności na stworzenie tej listy. Jeżeli niektóre punkty cię męczą, opuść je lub staraj się innym razem znaleźć czas, by skupić się na ich treści. Gdy lista będzie gotowa, próbuj odsuwać od siebie te myśli – jedna po drugiej, cierpliwie, przez cały dzień. Rób to łagodnie, ale i stanowczo tyle razy, ile będą one powracać.

Ćwiczenie to da rezultaty w dniu, gdy zaskoczy cię pojawienie się nowych myśli.

Czy stawiasz sobie właściwe pytania?

> Wszyscy powinni stawić czoło pytaniu o to, w czym tkwi jedność osobowości, którą stanowczo powinniśmy zdobyć, oraz obowiązkowi jej poszukiwania. Tak w niepamiętnych czasach zaczęła się droga przebyta przez cywilizację Orientu.
>
> John Blofeld, *Joga, droga do mądrości*

Aby można było usłyszeć odpowiedź, pytanie zawsze powinno być jednoznaczne i właściwie postawione. Powinno być także sformułowane w prosty sposób. Wszystko, co robimy, wymaga od nas dokonania wyboru. Każda rzecz ma swoje znaczenie. Istnieją powody,

dla których pewne rzeczy zauważamy, a innyc
Niektóre osoby dostrzegają piękne przedmioty, interesujących ludzi, inne widzą śmietniki, niedoskonałości.
Przez większość czasu wybory te pozostają nieświado-
me, ale możemy zrobić lepszy użytek z naszej świadomości i posługiwać się nią po to, by informowała nas
o naszych wyborach. Gdy uświadomimy sobie, że dostrzegamy wyłącznie rzeczy negatywne, może uda się
nam zmienić siebie i poszukać czegoś lepszego.

W pewnym sensie proces tworzenia trwa nieustannie. Możemy wydawać naszej podświadomości polecenia, aby wybierała tylko te rzeczy, które będą istotne
w przyszłości.

Stany ducha

Nie ma miejsca dla niepokoju czy żalu w umyśle
przepojonym tą prostą prawdą, że nie istnieją wzloty
bez upadków. Życie rzadko jest tak czarne, jak to sobie wyobrażamy. Jeżeli robimy wszystko to, co robiliśmy do tej pory, będziemy tym, kim zawsze byliśmy.
Jedyną osobą narzucającą nam ograniczenia jesteśmy
my sami. Prawdziwa miłość własna płynie z panowania nad „ja", prowadzącego do wolności. Możemy ćwiczyć naszą cierpliwość, która funkcjonuje podobne jak
mięsień: po wykonanej pracy staje się silniejsza.

Umysł jest ośrodkiem tworzenia. Życie wybacza nam,
kiedy odcinamy sobie jeden palec. Pozwala kształtować
się nowym komórkom i wytworzyć bliznę, która za-
mknie ranę. Podobnie jest z myślami.

Kiedy zaczynasz się niepokoić, czuć zagubiona, samotna, przygnębiona, pełna goryczy, kiedy opanowują cię negatywne nastawienie i gniew, weź do ręki interesującą książkę, włóż inny strój i zrób, co w twojej mocy, by uczynić swoje otoczenie radośniejszym (kwiaty, muzyka, kadzidełka, świeca zapachowa). Możesz także wykonać kilka asan jogi lub ćwiczeń gimnastycznych, zapisać coś w swoim dzienniku, wziąć kąpiel albo wyjść na spacer. Najważniejsze jest powstrzymanie przepływu myśli aż do momentu, gdy nowa energia zastąpi starą.

Wznieś się ponad problem

> Z problemem nie można niczego zrobić,
> z problemem trzeba umieć sobie poradzić.
>
> Charles Barker

Nie zajmuj się problemami, wznieś się ponad nie. Koncentrowanie się na problemie oznacza utrzymywanie go przy życiu. A tobie uniemożliwia posuwanie się do przodu. Negatywne myśli nie powinny być analizowane, rozbierane na czynniki pierwsze, studiowane. Kiedy poświęcasz im uwagę, zaczynają się mnożyć. Przestań zatruwać sobie życie dawnym przyzwyczajeniem do żywienia żalu i niewybaczania zadanych ci ran. Wyrzuć do kosza to, co pozostało z przeszłości. Zachowaj jedynie dobre wspomnienia.

Życie zaczyna się od nowa każdego dnia. Jesteś osobą, która żyje dzisiaj. Przestań myśleć, że ktoś, kim byłaś wczoraj, jest tym, kim musisz być dziś. Każdy ma w sobie nieograniczony potencjał dokonania zmiany i może go wykorzystać. Czerpanie z tego potencjału utrudnia nam nasze psychiczne przywiązanie do przeszłości (to prawdziwe błędne koło!). Energia, którą mamy w chwili obecnej, jest jedyną energią, której potrzebujemy.

Walcz z trudnymi sytuacjami, zaczynając od tego, co najłatwiejsze. Wszystko, na czym koncentrujesz swoją uwagę, nabiera ważności. Im bardziej koncentrujesz się na tym, czego sobie nie życzysz, tym większe nadajesz temu znaczenie.

Zamiast myśleć o problemie, zapomnij o nim. Wystarczy fakt, że znasz naturę tego problemu i pytanie, jakie należy postawić. Pozwól pytaniu odpocząć, ustać się jak zmąconej wodzie. Wkrótce w twojej podświadomości dokona się coś niezwykłego. Kiedy uparcie koncentrujesz się na problemie lub na rzeczach, które cię złoszczą, zapominasz o wszystkich cudach życia. Widzisz jedynie braki, niesprawiedliwość, przyczyny swoich nieszczęść, frustracji lub smutku. Ale trudne chwile życia są okazją, by zyskać dystans i na nowo wszystko przemyśleć. Powinnaś wtedy zadać sobie pytanie: „Co ma dla mnie największe znaczenie? Dlaczego tak postąpiłam?".

Wiemy, że istnieje siła, z której możemy korzystać w każdej chwili życia, ale powinniśmy poprosić umysł, by nas podłączył do tego źródła prądu. Im większą zyskujemy świadomość, tym bardziej jesteśmy zdolni walczyć z naszymi problemami. Jeżeli zatrzymujemy się zbyt długo nad przeszkodami i trudnościami, wpływa to na naszą podświadomość. Zatrzaśnie nam ona drzwi do szczęścia. Wszystko, co się zdarza, jest po to, by nas czegoś nauczyć.

Negatywne nastawienie wyrządza nam krzywdę

Negatywnymi myślami i działaniami wyrządzamy sobie tyle złego, ile niezdrowym jedzeniem, paleniem papierosów i niedosypianiem. Nasze frustracje rodzą się z niezrealizowanych pragnień, niepokoju, niepewności, a nasz pesymizm wynika z braku energii i wiary w siebie.

Uświadomienie sobie tego leczy psychikę. Najpierw należy zidentyfikować źródło negatywnych stanów, a potem zadać sobie pytanie o to, czego chcemy. Sporządź listę swoich pragnień. Nie zastanawiaj się nad tym, czy i jak możesz uzyskać to, czego chcesz. Dobrze ukierunkowana myśl jest zdolna wytworzyć wibracje, które zamienią się w inspirację. Dzięki regularnemu treningowi mentalnemu uda ci się także odsunąć od siebie negatywne myśli.

Możesz się ćwiczyć w walce z negatywnymi myślami, tak jak uczysz się jeździć na rowerze, pływać, prowadzić samochód... Gdy raz je opanujesz, czynności te stają się automatyczne.

Jeśli ćwiczysz uspokajanie siebie, osiągniesz cel w ciągu miesiąca. Każda idea pewnego dnia obraca się w nicość. Miej świadomość mocy swoich myśli. Co jest negatywne: twoje uczucia czy rzeczywistość? Uznaj wszechmoc swojej podświadomości, ona zapewni ci szczęście, zdrowie, wolność i wszystko, na co zasługujesz.

Nie koncentruj się na przeszłości, ale na tym, co możesz zrobić teraz. Rano zadaj sobie pytanie, czego oczekujesz po dniu, który właśnie się rozpoczął. Staraj się przypomnieć sobie wszystko, co jest w twoim życiu dobre i przyjemne. Pesymista widzi siebie działającego nieskutecznie. Jeżeli zmieni sposób myślenia na konstruktywny, zacznie odnosić sukcesy.

Wyrób sobie nawyk powracania przed snem do miłych momentów dnia – spaceru, dobrego posiłku, spotkania z przyjaciółmi... To twoje skarby. Odnotuj je na kartach dziennika, później przypomnisz sobie, ile szczęścia dało ci życie. Odmów modlitwę i zwróć się do swojej podświadomości o jej wysłuchanie. Popatrz na defiladę swoich myśli i powiedz sobie, że zaraz głęboko zaśniesz. Sny mogą pomóc w znalezieniu odpowiedzi na niektóre pytania, pod warunkiem że je im wcześniej zadamy.

Kontroluj umysł

Usiądź obok siebie

Wyobraź sobie, że masz magiczną moc opuszczania swojego ciała i siadania obok osoby, którą jesteś. Spójrz na siebie. Jaka jest ta osoba? Do kogo jest podobna? Czy ją lubisz? Czy mogłabyś jej jakoś pomóc, coś doradzić?

Ćwicz się w zyskiwaniu dystansu. Nie przywiązuj się do myśli. Kiedy decydujesz się podjąć działania zmierzające do wyeliminowania czegoś ze swego życia, nawet namiętności, która cię pochłania, największą nagrodą jest stwierdzenie, że dotarłaś do celu i że ta rzecz dłużej nie przeszkadza ci w życiu. Odczujesz dzięki temu ogromną ulgę, lekkość i powiesz sobie: „Stało się, jestem wolna!".

Kiedy przeszkody w sferze intelektualnej i psychicznej zostały usunięte, kiedy nie pozostało już żadne przywiązanie, kiedy wszystkie działania są dyktowane tylko przez czas i miejsce, kiedy obiektywizm i subiektywizm stapiają się w jedno, osiągnęłaś najwyższy stopień dystansu. Najważniejszym celem jest więc brak przywiązania do czegokolwiek. Istnieją techniki, umożliwiające nauczenie się kontrolowania swojego życia i stresu oraz panowania nad falami zamętu podmywającymi nasze siły fizyczne i psychiczne.

Miej własne zasady

> Zasady są jak materiał tkany gęsto, dokładnie ze wszystkich nitek życia, solidny, piękny i trwały.
>
> Szekspir

Umysł nie potrafi wybierać, nie wie, czego chce: chce, by ciało straciło na wadze, i chce zjeść kawałek tortu. Potrzebuje więc zasad. Ich przestrzeganie może stać się nawykiem i odruchem, jeżeli w pewnym momencie uczyniliśmy wystarczająco dużo wysiłku, by się do nich stosować.

Zdobądź umiejętność podejmowania decyzji

Umiejętność szybkiego podjęcia ostatecznej decyzji jest sztuką i zaletą, ponieważ dzięki temu unikamy przedłużania czasu, kiedy się martwimy. Gdy decyzja została już powzięta, a właściwe działanie wykonane, uznaj, że problem jest rozwiązany, staraj się wymazać go ze świadomości. Dąż do tego, by jak najwięcej decyzji podejmować samodzielnie. Siła charakteru jest energią życiową potrzebną do dokonywania wyborów i podejmowania decyzji. Bezpieczeństwo, mądrość i siła są ze sobą powiązane. Staraj się odnaleźć w sobie kreatywność dziecka.

Umiejętność dokonywania właściwych wyborów sprzyja naszej kreatywności. Każda chwila naszego życia zmusza nas do podejmowania decyzji, stawia przed nami niezliczone możliwości. Gdy znajdziemy w sobie wystarczająco dużo miejsca, by przyjąć rzeczy nowe i nieznane, otworzymy drogę ku czemuś głębszemu. Zwracaj uwagę na to, czego pragniesz. To jedyny sposób, by odkryć swoje pasje. Kiedy jesteśmy radośni, nasze życie jest pełne.

Koncentracja i medytacja

Ćwicz koncentrację – medytuj

> *Zadowól się tym, że wodom pozwolisz się uspokoić, a słońcu i księżycowi odbijać w powierzchni twojego istnienia.*
>
> Rumi, poeta suficki

Stwórz wokół siebie pustą przestrzeń, nie pozwalaj, by rozpraszały cię hałasy, twarze, bliskie osoby. Otocz się pustką, by się skoncentrować na jedynym temacie lub raczej relacji między tobą a tym tematem. Zadanie polega na tym, by uczynić myśli, pragnienia i wyobrażenia obojętnymi.

Zacznij od uczynienia swoim celem stanu niemyślenia. Na początku myśli będą powracać – odsuwaj je łagodnie, wymazuj wciąż od nowa, nawet tylko na pół minuty. Zobaczysz, że to możliwe. Będzie to pierwszy krok. Joginowie mogą spędzać w ten sposób całe dnie. Jeśli wytrwale ćwiczysz opróżnianie umysłu z myśli, powrócą tylko powierzchownie, będą obecne w coraz mniejszym stopniu i w końcu łatwo będzie je całkowicie odrzucić. Efekty zapewnią ci jedynie cierpliwość i wytrwałość.

Osoba, która medytuje, pogrąża się w stanie relaksu dwukrotnie głębszego niż osoba, która śpi. Potrzebuje dziesięciu minut, by osiągnąć ten stan. Uzyskanie tak głębokiej relaksacji podczas snu wymaga sześciu godzin.

W czasie medytacji wszelka dwuznaczność, zależność od innych i wszystkie przywiązania znikają. Można wówczas doświadczyć poczucia wolności. Jest to najprostsza i najkrótsza droga do szczęścia. Pozwól rzeczom, by toczyły się swoim trybem – trochę tak, jak gdyby cię nie dotyczyły. Po jakimś czasie odczujesz wszechogarniającą obojętność.

Medytację można praktykować wszędzie, nawet w kolejce, czekając na autobus lub zmywając naczynia. Znakomitym ćwiczeniem medytacyjnym przynoszącym odprężenie i spokój jest także gra w golfa. Pewien gracz powiedział kiedyś, że po pokonaniu trasy odczuwał spokój płynący z przebywania ze sobą jak bonza na szczycie góry. Ważne jest, by pozostać przez chwilę wewnętrznie skupionym. Daje to siłę, której nie znajdziesz nigdzie indziej. Taka dyscyplina duchowa nie ma nic wspólnego z pustką duchową czy otępieniem. Jest to metoda, dzięki której wyostrzamy naszą świadomość i uwagę, co się niezwykle przydaje w codziennym życiu.

Ktoś powiedział o medytacji i jodze: „Nie mam czasu ich praktykować".

Czasownik „medytować" (po łacinie *meditare*) oznacza „pozwolić prowadzić się do sedna". To, co jest niezmienne, opanowuje i blokuje umysł. Po prostu znajdź czas, by „być", by pozwolić umysłowi na nowo w ciszy naładować baterie. Od czasu do czasu zapomnij o swoim wizerunku i odczuj wrażenie bycia nową osobą.

Czasem trzeba umieć nie robić nic. Medytacja pomaga nam zrozumieć, jak funkcjonuje nasz umysł. Ludzie, zanim zaczną ją praktykować, nie mają żadnego wyobrażenia, ile rozproszonych myśli przemyka w ciągu sekundy przez ich szare komórki.

To właśnie te myśli komplikują ich życie.

Medytacja jest pokarmem duchowym, który pozwala nam się odnawiać i na nowo doceniać rzeczy podstawowe. Bieganie po plaży, pójście do lasu, słuchanie muzyki wymagają, by poświęcić im czas, by się nie spieszyć. Możemy medytować, to znaczy zachować nasz umysł w bezruchu, maszerując, siedząc, stojąc lub leżąc.

Trzeba sprawić, by ciało zamilkło, utrzymując pewną pozycję (na przykład pozycję lotosu, pozycję leżącą – na plecach z zamkniętymi oczami). Należy spowolnić oddech. Sprawić, by umysł milczał. Zabronić sobie wszelkiej myśli, która przywiodłaby go do refleksji.

Deshimaru, mistrz zen, mawiał: „Trzeba pozwolić myślom płynąć jak chmury na niebie. Nie myśleć o życiu, ale być życiem". Poprawia się wówczas krążenie krwi, pamięć staje się sprawniejsza. Trzeba osiągnąć stan milczenia wewnętrznego. Koncentrować się na odgłosach wewnętrznych, biciu serca, oddechu, na wszelkich dźwiękach organicznych. Medytuj, osiągnij zerowy stopień aktywności umysłu i ciała. Poczuj, jak ogarniają cię ciepło i ociężałość. Wypowiedz to, co czujesz, mówiąc do siebie: „Czuję, jak ciepło obejmuje moje ciało". Jednym zdaniem zakotwicz każde odczucie. Następnie wystarczy wypowiedzieć to zdanie, by wystąpił dany stan.

Spokojne poranki

Nieoczekiwanie niczego więcej czyni wolnym nasze „ja". Wydaje mi się, że porzuciłem samego siebie wraz ze wszystkim, co pozostawiłem. Zniknął nawet ciężar mojego ciała. Poczułem, że nie mam niczego, nawet siebie. I że nie jestem już niczyją własnością. Cały świat stał się tak przejrzysty i pozbawiony najmniejszych przeszkód, jak mój własny umysł.

Alan W. Watts, *Buddyzm zen*

Medytuj rano, gdy powietrze jest jeszcze świeże i wolne od wszelkich sztucznych wibracji.

Im więcej koncentrujesz się na szczegółach otoczenia, tym bardziej bezpośrednie stają się twoje wrażenia. Obserwuj swoje emocje jak zjawiska zewnętrzne, które ciebie nie dotyczą.

W ten sposób uwolnisz się od żalu, niecierpliwości, niepokoju i wszelkiego rodzaju błędnych myśli.

Osiągniesz stan, w którym uda ci się zapomnieć nawet o teraźniejszości. Polubisz to. Kiedy udaje ci się nie myśleć, to znak, że dotarłaś do celu. Rzeczy stają się proste. To tak, jakbyś nie żyła. Znikła wszelka odpowiedzialność, znikły obowiązki. Zaakceptuj pojawiające się myśli bez nadawania im znaczenia. Jeżeli uda ci się myśleć o czymś, co jest podobne do niczego, poczucie spokoju, którego dzięki temu doświadczysz, będzie niezwykle intensywne. Nocą oczywiście odpoczywasz, ale także śnisz. Relaks twojego umysłu nie jest więc pełny.

Znajdź czas sprzyjający medytacji w spokojnym zakamarku swojego mieszkania. Umieść tam wygodną poduszkę z wełny lub jedwabiu, mały ołtarzyk (wystarczy półeczka na wysokości oczu), na którym postawisz świecę, kwiat i pręcik kadzidła – bonzowie posługują się nim, by odmierzać czas każdej sesji, która trwa mniej więcej dwadzieścia minut. Pozwól, by otuliły cię zapach i milczenie, poczuj miękkość poduszki, wykonaj dwa lub trzy głębokie oddechy, aby usunąć negatywne myśli. Jednak jeżeli twojemu ciału brak elastyczności, pozycja lotosu okaże się niewygodna. A nie można zapomnieć o ciele, jeżeli sprawia ono ból. Regularne ćwiczenia uelastyczniające ciało są więc również niezbędne do właściwego przygotowania seansu medytacji. Z wielu powodów, których wyjaśnienie zajęłoby zbyt wiele miejsca, ta właśnie pozycja jest najdogodniejsza do medytacji. Inne – siedzenie w fotelu lub leżenie – nigdy nie pozwolą ci osiągnąć doskonałej pełni prawdziwego stanu niebytu.

Milczenie jest złotem

> *Przestań mówić i myśleć, a nie będzie niczego, czego nie rozumiesz.*
>
> przysłowie buddyjskie

Milczenie pozwala na wszystko zwracać uwagę, obserwować ruch humusu intelektualnego, który cały czas jest przetwarzany w naszym umyśle. „Nie bądź aktywny bez przerwy" – opanowanie tej zasady wymaga otwarcia umysłu, wymaga też czasu i cierpliwości. Unikaj programów telewizyjnych i artykułów w gazetach, które niczego ci nie dają, są tylko złodziejem twojego czasu, zapełniają przestrzeń twojego umysłu i zakłócają twoje milczenie. Są one środkiem nasennym, który pogrąża cię w ogłupiającej bierności i gumą do żucia dla oczu. Milczenie pomoże ci się rozwinąć. Istnieje przestrzeń recepcji. Pozwól, by ona cię prowadziła.

Łatwopalna kropla

> *Najcenniejszym skarbem w mojej głowie jest szybko zapalająca się kropla umysłu, w której mieści się świat. Zawiera ona istotę mojego „ja". To tu kryją się doskonały sens mojego życia i najpewniejsza nadzieja na wzniosłe osiągnięcia duchowe. To ona napełnia mnie nieograniczoną witalnością i czyni mnie nieśmiertelnym. Jeżeli pozwolę jej płomieniowi przygasnąć, moja siła witalna z czasem będzie się kurczyć, po mojej śmierci moja istota obróci się w proch, a mój duch się rozwieje. Oto co się dzieje, kiedy pozwalamy piętrzyć się ciemnym burzowym chmurom w imię miłości własnej, nieopanowanych pragnień i namiętności. Ale moje yang shen wkrótce rozbłyśnie i zacznie napełniać mnie całego aż do chwili, gdy mój umysł i moje ciało będą nasycone*

jego substancją. Powinienem czcić ten skarb nawet wtedy, gdy chodzę, i czuć, że jest blisko powierzchni mojej świadomości. Powinienem działać w sposób, którego jest on godny. Powinienem czuwać nad moimi myślami i emocjami, by moja energia intelektualna i emocjonalna energia nie były marnowane w nierozumny sposób".

Carl G. Jung, *Tajemnica złotego kwiatu*

Jedna myśl w jednej chwili

Usiąść i medytować całymi godzinami, jeść, gdy nasze ciało tego się domaga, i żyć w prostej chacie, co za luksus.

Urabe-no Kaneyoshi, *Tsurezuregusa*

Cel medytacji zostaje osiągnięty, gdy myśl o tym, by nie myśleć, też zniknęła. W czasie medytacji ustępują nawet odczucia fizyczne, co oznacza, że ich moc została im odebrana. Energia zostaje wówczas wykorzystana do tego, by zwiększyć jasność świadomości. Wszyscy powinniśmy spędzać jakiś czas w samotności i koncentrować się na jednej myśli, czytając, ucząc się czy pracując. Medytacją może być nawet ułożenie rano kwiatów w wazonie. To odmieni cały dzień. Wielu ludzi tkwi w szponach namiętności, które tylko maskują ich bierność. Ludzie ci tak naprawdę starają się zapomnieć o sobie. Należą do świata o wiele mniej niż człowiek, który medytuje, siedząc nieruchomo, i który kontempluje swoją naturę. Medytacja jest najwyższą formą aktywności. Została dana człowiekowi po to, by mógł się stać niezależny i wolny. Taoiści wierzyli, że materia ma zasadniczo charakter duchowy i że piękno oraz inteligencja znajdują się tuż przed naszymi oczami. Jeżeli ich nie widzimy, dzieje się tak dlatego, że nasze zmysły są niedoskonale.

Człowiek może osiągnąć poznanie intuicyjne dzięki odpoczynkowi, kontemplacji i brakowi przywiązania.

Może się uwolnić od czasu, przestrzeni, życia codziennego, pragnień, utartych opinii i w końcu od samego siebie.

2. Inni ludzie

Zmniejsz zawartość swojej książki adresowej

Wybieraj znajomych i bądź tolerancyjna

> *Jedynie człowiek doskonały może mieszkać wśród ludzi sobie równych, nie akceptując ich uprzedzeń. Dostosowuje się on do nich, nie tracąc swojej osobowości. Niczego się od nich nie uczy, uznaje ich aspiracje, nie czyniąc ich swoimi.*
>
> Czuang-Cy

Zerwij bezowocne znajomości. Zakończ te, w których nie znajdujesz oparcia. W miłości nie bądź niewolnikiem drugiej osoby. Unikaj ludzi, którym brak inteligencji – nigdy nie będziesz mogła być pewna tego, co myślą, ani tego, jak zareagują. Lepiej się z nimi nie spotykać, niż ich krytykować. Ale nie myl inteligencji z możliwościami intelektualnymi. Istnieją różne formy inteligencji – choćby inteligencja serca i umysłu. Problem w tym, że wielu ludzi nie ma żadnej z nich.

Środowisko, pieniądze, przekonania, aspiracje dzielą ludzi bardziej niż kolor skóry. Ludzie nietolerancyjni i nierozumni mogą nam przeszkadzać w rozwoju. Stopniowo, ale stanowczo zmniejszaj ich znaczenie w swoim życiu. I nie trać ani chwili na myślenie o osobach, których nie lubisz. Nie staraj się dostosować do niekomfortowych sytuacji i nie wymagaj od innych nadmiernej szczerości. Nie ma potrzeby obnażania swojego serca, by się do kogoś zbliżyć. Za drzwiami zostaw świat, w którym należy nieustannie brać pod uwagę potrzeby innych, w którym trzeba ukrywać się za różnymi maskami. Bylibyśmy o wiele szczęśliwi, gdybyśmy nauczyli się żyć z naszymi własnymi niedoskonałościami i wadami innych ludzi.

Kiedy jesteś w towarzystwie

Naucz się odmawiać

> *Osobą wolną jest ktoś, kto potrafi odmówić przyjęcia zaproszenia na kolację bez podawania najmniejszego usprawiedliwienia.*
>
> Jules Renard

W naszej kulturze bardziej akceptowane są grzeczność i hipokryzja niż bezpośredniość i uczciwość. Jeśli odmowa jest dla ciebie problemem, twoim celem powinna być umiejętność powiedzenia „nie" komuś, by móc powiedzieć „tak" sobie samej. W końcu jeżeli odmówisz udziału w spotkaniu, ten, kto cię zaprosił, nie skoczy z tego powodu w przepaść. Jeżeli jednak czujesz się moralnie zobowiązana do przyjęcia zaproszenia, odważnie powiedz, że jesteś wolna w piątek, ale tylko do godziny dwudziestej. Proste wyjaśnienie z jak najmniejszą liczbą szczegółów jest najlepszym sposobem odmowy. Ćwicz się w mówieniu: „Przykro mi, nie mam w tej chwili czasu, ale zadzwonię do ciebie, gdy umożliwi mi to mój plan zajęć". Nie zmieniaj swoich planów, by zadowolić innych. Nie martw się tym, co pomyślą czy powiedzą na twój temat. Dzięki temu będziesz się cieszyć większą wolnością. Kiedy poświęcasz swoje marzenia i własne wartości dla kogoś innego, tracisz nieco samej siebie, trochę swojej siły. Im bardziej wyrzekasz się swojej autentyczności, tym słabsza się stajesz. Zostaw za sobą wszystko, co cię nie wzbogaca, i zerwij więzi z przekonaniami, wartościami, obowiązkami, z którymi się utożsamiałaś w pewnym okresie swojego życia, ale które nie mają związku z tym, kim jesteś obecnie. Nie bądź osobą odpowiadającą oczckiwaniom innych, ale osobą, którą ty sama chcesz być. Wiedz dokładnie i stanowczo, czego chcesz, a czego nie chcesz. Bądź niezależna. Trzeba mieć odwagę, by powiedzieć „nie" z uśmiechem i bez usprawiedliwień.

Nic i nikt nie ma nad nami najmniejszej władzy, ponieważ my jedyni panujemy nad swoimi myślami. Jeżeli nie udaje się nam ich utrzymać w harmonii i równowadze, podobnie będzie z naszym życiem.

Dawaj mniej i... bierz więcej

Dawać, otrzymywać... Uprość swoje relacje z ludźmi i zacznij zachowywać się bardziej naturalnie. Nie czuj się zakłopotana, gdy coś dostajesz. Gdy w głębi serca wiesz, że nie nadużywasz szczodrości innej osoby, przyjmuj z prostotą to, co ci ofiarowuje. Sama nie dawaj zbyt dużo. Dajemy zbyt często, by sprawić sobie przyjemność. Nawet jeżeli uważamy, że nie oczekujemy niczego w zamian, zawsze pozostaje w nas odrobina urazy, gdy obdarowany nie podziękuje albo gdy zareaguje w sposób inny niż ten, którego się spodziewamy. Za wszelką cenę unikaj wątków finansowych w relacjach z przyjaciółmi. Jeżeli nie chcesz się z nimi poróżnić, nie mów także o swoich problemach. Udzielanie zbyt wielu bezinteresownych rad również nie jest wskazane, ponieważ to, co dajemy bezpłatnie, jest pozbawione wartości. Jeżeli za dużo pomagasz innym, oni nigdy niczego się nie nauczą. Jedyna wartościowa rzecz, którą możesz im ofiarować, to kontrolowanie samej siebie i dyscyplina – spokój, obecność, gotowość słuchania, życzliwość. Daj im pewność, że mogą na ciebie liczyć, siłę twojej obecności i twojej wytrwałości. Zdobądź spokój płynący z przekonania, że wszystko, czego potrzebujesz, możesz uzyskać sama. Zbyt często dajemy zbyt dużo. Zwykle po to, by zyskać miłość lub przyjaźń, ze strachu, że nie będziemy kochani jedynie za to, kim jesteśmy.

Naucz się słuchać

Niebo dało nam dwoje uszu, byśmy słuchali, i jedne usta, byśmy mówili. Powinniśmy więc słuchać dwa razy więcej niż mówić.

przysłowie chińskie

Osoba, która mówi dużo, jest jak puste naczynie. W starożytności o dobrym wychowaniu świadczyła między innymi umiejętność słuchania z ciałem zastygłym w bezruchu, w posągowej postawie pełnej wdzięku i namaszczenia. Ta postawa, świadcząca o uwadze, była rodzajem gwarancji moralnej i nadawała wygląd osoby zrównoważonej temu, kto ją opanował.

Milczenie odsłania coś głębokiego, wspaniałego i skromnego w charakterze osoby, która potrafi słuchać. Gdy jesteś w towarzystwie drugiego człowieka, narzuć sobie ścisłą oszczędność mowy i ruchów. Dostrzeż w sobie sekretną energię, którą dzięki temu zyskasz, i zauważ, jaki wpływ wywierasz na innych.

Kontroluj swoje wypowiedzi

Język, którego używamy, gdy zwracamy się do samych siebie, jest niezwykle ważny. Związek między ciałem a umysłem tworzy się pod wpływem tego, czego doświadczamy werbalnie, rany zadane słowem mogą spowodować większe szkody niż urazy cielesne. Tworzymy siebie za pomocą słów. Są one czymś więcej niż symbolami. Wywołują reakcje fizjologiczne. Niektóre słowa wyrządzają krzywdę.

Deepak Chopra, *Życie bez starości*

Złota reguła: „Nie otwieraj ust, jeżeli nie masz niczego miłego do powiedzenia". Wszystko, czego ci trzeba, to poczucie pewności, że jesteś traktowana sprawiedliwie, grzecznie i z szacunkiem. Sama też się do tego stosuj.

Rzeczy mają jedynie takie znaczenie, jakie im nadajemy. Mów o kłopotach, a będziesz miała ich więcej. Opowiadaj zabawne historie, a śmiech się zwielokrotni.

Zaczerpnij oddechu, zanim zabierzesz głos. Ludzie będą cię słuchali z większą uwagą i szacunkiem. Pozwól mówić innym do woli i daj im najpierw zakończyć ich myśl.

Kiedy robisz coś dobrego, nie opowiadaj o tym. Milczenie ma magiczną moc, ponieważ zamiast rozpuścić w słowach swoją satysfakcję, zachowasz ją w całości dla siebie.

Mówienie zbyt wiele pozbawia nas energii i odbiera wagę naszym wypowiedziom. Jeżeli mówimy zbyt dużo, czujemy, że jesteśmy męczący, i mamy poczucie winy z powodu zanudzania innych. Ludzie często zabierają głos dla własnej satysfakcji, a nie po to, by umożliwić innym skorzystanie ze swojego doświadczenia. Zbyt często opowiadają o sobie. Przestań użalać się nad swoją dolą. Męczy to ciebie i twoich słuchaczy. Poza tym im więcej mówisz, tym bardziej oddalasz się od innych i od siebie.

Unikaj dyskusji metafizycznych i religijnych. To najlepszy sposób, by nie zyskiwać wrogów. Pamiętaj także, że są chwile, by rozprawiać o sprawach poważnych, i chwile, by opowiadać o błahostkach. Naucz się je odróżniać.

Nie krytykuj

Krytykowanie nie mówi niczego o innych, natomiast wiele mówi o tobie – jesteś osobą, która osądza innych. Kiedy kogoś krytykujesz, tworzysz problem i umniejszasz swoją wartość. Sądzenie innych wymaga energii. Stawia cię w sytuacji, w której nie powinnaś się znaleźć. Krytykowanie jest nawykiem. Ćwicz się w nie-mówieniu źle o kimkolwiek bez względu na to, jakie są twoje uczucia. Szybko ten nowy nawyk stanie się twoją drugą naturą. Krytyka może przynieść ulgę, ale istnieją inne tematy rozmów. Pozostań lojalna wobec nieobecnych. Broń ich. W ten sposób zyskasz zaufanie tych, którzy cię słuchają. Strzeż się dwulicowości, trak-tuj wszystkich według tych samych zasad.

Zamiast zajmować się cudzymi wadami, zajmuj się swoimi. Zwróć umysł ku rzeczom, które są przy-jemniejsze niż choroby czy nieszczęścia innych ludzi: sekretom natury, historiom opartym na faktach, po-bytowi na wsi, gdzie można czerpać przyjemność ze spokoju i pocieszenia, które daje przyroda. Oto, czym należy zastąpić ciekawość.

Nikt nie może żyć zamiast drugiej osoby

> *Robisz tyle hałasu, że nie słyszę, co mówisz.*
> Ralph Waldo Emerson, *Platon, czyli filozof*

Umiejętność kontrolowania samego siebie jest za-sadniczym warunkiem zachowania dobrych relacji z innymi ludźmi. Unikaj popisywania się swoją wie-dzą, pozowania na filozofa.

Stać się pustym oznacza stać się bogatym. Mówimy często głośniej, niż nam się wydaje. Staramy się eks-ponować myśli, którymi się zachwycamy. Odgrywamy role osób, którymi chcielibyśmy być, ale na nieszczę-ście role te są fałszywe.

Nie przechwalaj się znajomością wielu maksym, pokaż efekty stosowania kilku z nich w swoim życiu.

Nie mów innym, jak należy jeść, ale sama rób to tak, jak trzeba. Nie bądź próżna z powodu tego, czym się zajmujesz.

Altruizm i samotność

Zajmuj się sobą, by bardziej kochać innych

> Cenić siebie jest mniejszym grzechem, niż się nienawidzić.
>
> Szekspir

Wielu ludzi żyje w emocjonalnej mgle. Wykonują puste gesty. Brak im pewności siebie, czują się niegodni, by być kochani, ich miłością stają się alkohol, papierosy, praca, telewizja...

Jeżeli zajmiesz się sobą, będziesz nie tylko ładniejsza w oczach innych, ale także szczęśliwsza. Nie zadręczaj się. Zacznij dostrzegać własną wartość. Odnoś się do siebie z miłością. Dzięki temu będziesz traktować innych z większym uczuciem. Odkryj, co jest dla ciebie źródłem przyjemności i radości, i staraj się to robić. Uśmiechaj się i śmiej jak najwięcej. Właściwa ocena własnej wartości pozwala uniknąć wielu stresów. Poczucie winy jest trucizną, która nas niszczy.

Wybaczaj dla własnego dobra

Jeśli wybaczamy, to nie znaczy, że akceptujemy to, co się wydarzyło. Po prostu nie poddajemy się nieszczęściom, które zatruwają nam życie. Należy wybaczać tylko dla własnego dobra. Ale można zapomnieć krzywdy jedynie wtedy, gdy już nie cierpimy. Nikt nie może nas zranić, jeżeli nie damy mu do tego sposobności. Ból pojawia się tylko w takich momentach, gdy w naszym umyśle istnieje interpretacja faktów. Gdybyśmy się zadowolili byciem jedynie świadkami zdarzeń, nie cierpielibyśmy. Spróbuj jak najczęściej wznosić się ponad interpretację.

Niczego nie oczekuj od innych

Ty i tylko ty jesteś odpowiedzialna za swoje czyny. Nie jesteś odpowiedzialna za czyny innych ludzi. Nie licz na innych, że cię uszczęśliwią. Czy jesteś tak niezwykła, by cały świat pożądał twojej obecności? Albo czy chcesz, by się nad tobą litowano? Jeżeli nie udaje ci się cieszyć własnym towarzystwem, inni ludzie prawdopodobnie też nie będą go cenić. Ludzie domagają się od innych, by dali im szczęście, którego sami nie potrafią znaleźć. Osobą godną podziwu jest ktoś, kto niczego nie żąda, niczego nie żałuje, nie ma niczego do stracenia. Nie ulega wpływom ani ludzi, ani rzeczy i potrafi znaleźć w sobie nieprzebrane zasoby.

Nie próbuj zmieniać innych

Nie staraj się w czymkolwiek zmieniać innych. To komplikuje twoje życie, zmniejsza twoją energię, pozbawia cię sił i czyni sfrustrowaną. Przestań wyjaśniać. Zadowalaj się tym, że inni będą zadawać sobie pytanie, jaka jest tajemnica twojego spokoju i szczęścia. Jedyny sposób, by wpłynąć na innych, to postępować tak, że będą mieli ochotę przyswoić sobie twój styl życia, postawę, myśli. Wszyscy ludzie starają się naśladować osoby, które promienieją szczęściem. Pomóc innym to sprawić, by zaczęli myśleć. Arnold Toynbee, znakomity historyk, mawiał, że przyszłość ludzkości zależy od tego, w jakim stopniu każdy z nas umie w samotności poznać swoją głębię, a później wydobyć to, co jest w nim najlepsze i pokazać innym, by im pomóc. Opieraj się chorobliwej potrzebie, by mieć zawsze rację, porzuć rolę planisty i zegara z ludzkim głosem. Działaj, kiedy sądzisz, że jest to konieczne, ale później nie rób nic. Milcz. Wzbudzisz w ten sposób o wiele więcej szacunku.

Ograniczającą nas przeszkodą jest także poczucie wyższości. To, co nas irytuje u innych, powinno nam pomóc w zyskaniu lepszej znajomości nas samych. Pozostaw innym tę satysfakcję, że racja leży po ich stronie. Jeżeli starasz się bronić swoich racji, tracisz tylko energię.

Pozostań sobą

Nie lubię współzawodnictwa; jedyną osobą, z którą chcę się mierzyć, jestem ja sam. Nie ma zwycięzców, są tylko różnice.

słowa pewnego lekkoatlety

Podstawą uczciwości jest dystans. Nie musisz aspirować do tego, by być podobną do innych ludzi ani od nich różną. Kobieta, która nie jest przywiązana do zbyt wielu rzeczy, czuje się wolna. Najlepszym sposobem na sprawienie, by ludzkość uczyniła postęp, jest własny rozwój.

Co możemy ofiarować innym

Jedyną rzeczą, którą możemy ofiarować innym, jest zachęcenie ich naszym stylem bycia do przywiązania się do tego, co proste i spontaniczne, myślenia mniej o sobie samych i ograniczenia pragnień. W społeczeństwie, w którym nikt nie pragnąłby gromadzić dóbr i bogactw, nie byłoby złodziei. Im bogatsze jest nasze życie wewnętrzne, tym większy jest nasz szacunek dla samych siebie i tym więcej mamy do zaoferowania.

Pomoc materialna to dobra rzecz, ale o wiele ważniejsze jest zachęcenie ludzi do myślenia. Gdybyśmy mogli pomóc innym chociaż na godzinę zapomnieć o ich pragnieniach, udowodnilibyśmy im, że dzięki determinacji i ćwiczeniom mogliby żyć w ten sposób do końca swoich dni. Oto największa pomoc, której możemy im udzielić. Dając innym przykład i promieniejąc radością życia niezależnie od okoliczności, możemy ich zachęcić do przywiązywania się tylko do tego, co skromne i spontaniczne. Udowodnić im naszą postawą, że jesteśmy o wiele szczęśliwsi, gdy nie myślimy zbyt wiele o sobie i gdy ograniczamy swoje pragnienia. Oczywiście bieda na świecie prawdopodobnie nigdy nie zniknie, nawet jeżeli dokonano by konfiskaty wszystkich domów, by zamienić je w ogromny ośrodek pomocy społecznej. Ale gdyby ludzie we wszystkich bogatych krajach rzeczywiście uświadomili sobie, że zasoby naszej planety nie są niewyczerpane, a oni ich nadużywają, z pewnością podjęliby wysiłki, by mniej marnować i mniej konsumować. Gdybyśmy mieli mniej, marnowalibyśmy mniej, mniej wyrzucali na śmietnik, mniej jedli, gdy inni umierają z głodu. Być może udałoby się bogatym osiągnąć większą harmonię między tym, co mówi im sumienie, a tym, jak się zachowują.

Pomagać biednym? To nasze społeczeństwo jest biedne. Biedne, bo wierzy, że być szczęśliwym to mieć. Biedne, bo ulega reklamie. Biedne, bo wpada w tryby konkurencji. Biedne, bo nie jest tak wolne, by móc żyć skromniej. Biedne, bo na wszystkim przykleja etykiety, nawet na hojności. Bieda nie jest równoznaczna z brakiem pieniędzy. Oznacza także brak wartości humanistycznych, duchowych, intelektualnych. Pomagać innym to nie chwalić się swymi bogactwami, to żyć skromnie i szanować każde ludzkie istnienie bez jego osądzania. To także postępować w taki sposób, że drugi człowiek nie odczuwa zazdrości, rozgoryczenia czy zawiści.

Doskonal sztukę życia w samotności

> *Być może mój dom jest ciasny, ale mogę w nim siedzieć i spać. Wystarcza mi, ponieważ mieszkam sam. Znam świat i nie mieszam się w jego sprawy. Spokój to dla mnie coś dobrego. Moją największą przyjemnością jest poobiedni odpoczynek i kontemplowanie pór roku. Cały świat jest jedynie obrazem w naszej świadomości. Jeżeli nasze serce jest spokojne, nawet największe skarby nie są nic warte. Lubię moje ubogie mieszkanie. Żal mi wszystkich ludzi zniewolonych przez świat materialny. Samotność docenić można jedynie wtedy, gdy jej doświadczamy.*
>
> Kamo no Chomei, *Notatki z mojej chaty*

To be alone znaczy po angielsku „być samotnym". Na początku słowo *alone* brzmiało *all one*, czyli „wszystko jednym". Doceń chwile spędzane w odosobnieniu. W rzeczywistości bycie samotnym to nie wybór. Taka jest natura kondycji ludzkiej. Wszyscy jesteśmy samotni w głębi naszej istoty. Stan ten może być bolesny dla kogoś, kto nie jest do niego przyzwyczajony, ale z czasem staje się cenionym komfortem. Należy się obawiać samotności nie fizycznej, ale duchowej. Jeżeli czujemy się zagubieni, gdy jesteśmy sami, jak, przebywając wśród ludzi, możemy nawiązać z nimi kontakt? To dzięki samotności odzyskujemy energię. Odosobnienie prawdziwych samotników jest tylko pozorne. Ich umysł jest światem zaludnianym przez istoty i idee, tajemną jaskinią, gdzie toczą się tysiące konwersacji.

Doceń samotność. Uznaj ją za przywilej, a nie za trudne doświadczenie. Jest to dar nieba i zasadniczy warunek, by zmienić się na lepsze, zajmować się poważnymi sprawami czy dobrze wykonywać pracę. Chwile samotności istnieją po to, byś mogła zasiać ziarno, które wyrośnie i rozwinie się w roślinę na nieznanym gruncie, na jeszcze nieodkrytych obszarach życia.

Naucz się doceniać swoje towarzystwo, zanim zostaniesz do tego zmuszona. Istnieje duże prawdopodobieństwo, że każdy z nas będzie musiał spędzić kilka lat życia sam. Należy więc się do tego przygotować – i to starannie. Samotne życie jest sztuką. Należy ją posiąść oraz doskonalić. Jest tyle rzeczy, które możemy robić tylko w ciszy i odosobnieniu! Medytować, czytać, marzyć, robić odkrycia, tworzyć, wykonywać zabiegi kosmetyczne...

Naucz się być szczęśliwa dla samej siebie: gotować, uprawiać ogród, zbierać plony, upiększać swoje ciało, mieszkanie, myśli... Wyjedź od czasu do czasu na nocleg do małego hotelu, zabierz powieść do kawiarni pełnej słońca, wybierz się na piknik nad wodą. Potem będziesz mogła w dwójnasób docenić obecność innych ludzi i dać im więcej niż kiedykolwiek. Samotność czyni życie bogatszym!

3. Poleruj siebie jak rzeka poleruje kamień

Bądź gotowa na zmiany

Wierz w siebie

Jesteśmy utkani z materii, którą są nasze marzenia.

Szekspir

Nasze zasoby są o wiele bogatsze, niż możemy to sobie wyobrazić. Miej wiarę w siebie, a odkryjesz, że wszystko (lub prawie wszystko) jest możliwe. Jeżeli żyjesz zgodnie ze swoimi aspiracjami i marzeniami, otrzymasz to, czego pragniesz. Jeżeli podwajasz swoje wysiłki, by osiągnąć jasno określony cel, uzyskasz zaskakujące wyniki. Odważ się uwierzyć, że przydarzy ci się coś dobrego.

Ludzie, którzy odnieśli sukces (dobra sytuacja materialna, szczęśliwa rodzina), nie wątpią w swoją zdolność do uzyskania tego, do czego aspirują. Korzenie sukcesu tkwią w umyśle, a konkretyzują się w świecie materialnym, nigdy odwrotnie. By zyskać powodzenie, trzeba je wcześniej stworzyć w swojej świadomości.

wszyscy mamy tę zdolność, należy więc z niej korzystać. Myśli mają niewiarygodną siłę. Jedynie od samokontroli każdego człowieka zależy, czy będzie on mógł myśleć samodzielnie. Jeśli mamy wystarczająco otwarty umysł i gotowość przyjęcia wszystkiego, zrobimy użytek z wszelkiej inteligencji, drzemiącej w naszej podświadomości.

Nie powinnaś wątpić w powodzenie swoich projektów. By odnaleźć nową drogę, pozbądź się najpierw wcześniejszych schematów myślenia. Staraj się nie wątpić w samą siebie. Uda ci się stać tym, kim chcesz się stać. Wątpliwości są marnowaniem energii, przeszkodą w ukończeniu projektu.

Jeśli mówisz sobie, że nie jesteś twórcza, nigdy się nią nie staniesz. Sama sobie przeszkadzasz w byciu kreatywną. Dzieciom przeszkadzają w tym czasem rodzice, a jednemu partnerowi – drugi partner. Nigdy nie zapominaj, że jesteś pełna pasji, inteligencji, mądrości, inwencji, że masz talent i głębię. Jeżeli nie decydujesz się, by uzyskać to, o czym marzysz, nadejdzie to, czego się obawiasz. Tworzymy i widzimy to, co spodziewamy się zobaczyć. Jeżeli podchodzisz do sytuacji z uprzedzeniami, dotkną cię ich złe skutki. Tworzymy naszą rzeczywistość. Obawa popycha nas do uczepienia się starych przyzwyczajeń i uniemożliwia nam wszelką elastyczność. Jeżeli uważamy, że istnieje tylko jeden sposób działania, ograniczamy siebie. Zawsze istnieją inne sposoby. Trzeba ich szukać. Ważne jest nie to, co nas spotyka, ale sposób, w jaki na to reagujemy. Przestań koncentrować się na tym, czego nie chcesz. Musisz być przekonana wewnętrznie o tym, że odniesiesz sukces, a nie tylko mieć nań nadzieję. Powinnaś dostrzegać problem. Każ swojej podświadomości znaleźć rozwiązanie. Pozwól sobie ulec przekonaniu, że wszystko ułoży się jak najlepiej. Jeżeli starasz się skoncentrować na celu, nic się nie uda. To poczucie sukcesu tworzy sukces. Trzeba pozostać możliwie jak najbardziej otwartym na wszelkie możliwości. Wierzyć w nie. Twoje słowa mają moc oczyszczenia umysłu z fałszywych idei i zastępowania ich właściwymi przekonaniami. Na powierzchni swojej świadomości utrzymuj jedynie myśl, że wszystko, co się zdarzy, jest możliwie najlepsze, i upewnij się, że twój umysł jest zajęty jedynie przyjemnymi sprawami, że nie ma w nim fałszu ani nieuczciwości. Zmieniając swój sposób myślenia, możesz zmienić swoje przeznaczenie. Rezultaty daje nie to, co myślisz, ale szczerość twojego przekonania.

Wyobraź sobie osobę, którą chciałabyś być

Gdy tylko podświadomość zaakceptuje jakąś myśl, zaczyna zgodnie z nią działać. Na przykład jeżeli twoim celem jest napisanie książki, dokonanie wynalazku lub zmiana stylu życia, rozwiń to wyobrażenie w myślach w najmniejszych szczegółach. Staraj się uwierzyć, że to rzeczywistość. Sama myśl jest już realnością. Twoja podświadomość zdążyła ją zaakceptować jako realność.

Każdy z nas doświadczył kiedyś sytuacji, że niespodziewanie otrzymał dobrą wiadomość, odebrał telefon, który był dla niego wybawieniem, dostał pieniądze, gdy był w trudnej sytuacji. Wydarzenia, przypisywane zbiegom okoliczności chyba jednak nie są przypadkowe… Nasze ciało jest rezultatem wszystkich celów, które stawialiśmy sobie w przeszłości. Jeżeli wyobrażasz sobie jakieś przeżycie z wystarczającą intensywnością, zaczną się pojawiać wszelkiego rodzaju mimowolne reakcje, całkowicie zgodne z tym, co widziałaś w wyobraźni. Usiądź, odpręż się i staraj się o niczym nie myśleć. Pogrąż się w ciemności, by zapomnieć o świecie zewnętrznym. Staraj się jak najmniej poruszać, by uspokoić psychikę, co uczyni twój umysł bardziej podatnym na przyjmowanie sugestii. Wyobraź sobie, jak bardzo chciałabyś, by jakaś rzecz się wydarzyła, i wizualizuj jak najdokładniejszy i jak najbardziej szczegółowy scenariusz. Odrzuć lęk, troskę, destrukcyjne myśli. Pojawią się nowe idee. Powrócisz do rzeczywistości wypoczęta, spokojna, pogodna.

Destyluj siebie aż do uzyskania esencji

> We wczesnej młodości każdy z nas wie, jaki jest jego własny mit (to, co zawsze chciał robić). W tym okresie życia wszystko jest jasne, możliwe, nie boimy się marzyć i pragnąć tego, co chcielibyśmy uczynić ze swoim życiem.
>
> Paulo Coelho, *Alchemik*

Nie ma jednego atomu naszej istoty, który nie zmieniłby się w ciągu naszego życia. Zaakceptowanie zmiany świadczy o tym, że nie popadliśmy w odrętwienie i że jeszcze jesteśmy młodzi. Kiedy przestajemy się zmieniać, umieramy.

W każdej sekundzie naszego życia tworzy czywistość swoimi myślami i działaniami. Powinniśmy uświadomić sobie cenę, którą płacimy za nasze negatywne myśli. Dokonywanie postępu duchowego oznacza zmiany, to jest porzucanie jednej rzeczy dla innej. Odrzuć pewne nawyki, punkty widzenia, wymagania. Nie rozczulaj się nad swoim losem. Raczej się zmień. Wykorzystaj to, co najlepsze w danej sytuacji, przestań mówić o swoich nieszczęściach. Staraj się stawiać czoło rzeczywistości. Życie w nieustannym – mniej lub bardziej uzasadnionym niepokoju – staje się przyzwyczajeniem, a w końcu przechodzi w stan chroniczny. Nie myślimy już o pozbyciu się tego niepokoju. Nie próbujemy sobie wyobrazić, że życie mogłoby być inne, gdybyśmy chcieli się zmienić.

Sekretem zmiany jest przekonanie, że w głębi mnie istnieje „ja", które pozostanie zawsze sobą. „Ja", które ma swoją wartość i które jest niepowtarzalne. Jeżeli „ja" pozostaje naszym biegunem magnetycznym, wszystko, co znalazło się w sferze jego przyciągania, może się bez nadmiernego cierpienia zmienić.

Viktor Frankl, były więzień nazistów, słynny psycholog austriacki, stworzył w czasie swojego pobytu w obozie koncentracyjnym cały system filozoficzny – logoterapię. Uczył swoich towarzyszy, że wiele chorób uważanych za umysłowe czy psychiczne to w rzeczywistości symptomy ukrytego, nieuświadomionego poczucia pustki egzystencjalnej, braku rozpoznania sensu życia. Twierdził, że każdy z nas powinien odkryć swoją wyjątkową misję, którą on i tylko on może wypełnić. Może tu chodzić o oddanie się twórczości artystycznej albo pracy na roli, o bycie rodzicem, dzieckiem albo małżonkiem. Każda stara warstwa myśli powinna zostać usunięta, by mogła zostać zastąpiona nową.

Stań się swoją najlepszą przyjaciółką

Żyj w realnym świetle, a nie w reflektorach teatralnej sceny. Kobiety, które podziwiamy, dostrzegły, w jaki sposób wyrządzają sobie krzywdę, naprawiły błędy i stały się swoimi najlepszymi przyjaciółkami. Ty także nią bądź. To ty jesteś osobą, której potrzebujesz. Traktuj siebie samą jak swoją rodzinę, klientów, przyjaciół. Budda porzucił wszystkie swoje dobra. Wszyscy jesteśmy skazani na to, by tego czy innego dnia wszystko stracić. Co wtedy pozostanie? Bezustannie okłamujemy siebie. Nie mamy zaufania ani do życia, ani do naszych własnych zasobów. Jeżeli nie posuwamy się do przodu, jeżeli pozwalamy zapanować nad sobą wewnętrznemu lenistwu i jeżeli pozwalamy innym kontrolować swoje życie, grozi nam to, że będziemy się cofać. Jeśli kochamy samych siebie, stajemy się szczęśliwi. Akceptowanie siebie czyni nas wolnymi od opinii innych ludzi. Szanuj swoje marzenia, podążaj za swoimi pragnieniami.

W każdym z nas jest ukryty diament

Wszyscy w różnym stopniu jesteśmy podobni do nieoszlifowanych diamentów. Im bardziej polerujemy samych siebie i nabieramy formy, tym mocniejszy

rozsiewamy blask i tym bardziej stajemy się pożąda
ni. Staraj się dążyć do perfekcji. Dzięki temu będziesz
długo żyć.

Jedz mało i dobrze, kładź się spać wcześnie, ćwicz,
nigdy nie przestawaj się uczyć, spotykaj się z ludźmi,
przyswajaj nowe idee i odnajduj w każdym dniu tyle
radości, ile tylko możesz.

Naucz się ubierać skromnie, wybierać szlachetnych
i godnych ciebie przyjaciół, wzbogacające lektury,
piękne otoczenie. Wprowadzaj zasady zdrowego rozsądku tam, gdzie możesz.

Decyduj o swoim życiu. Planuj podróże i czas, pro-
jektuj ubrania… Wykorzystuj swoje zdolności, wyobraźnię, świadomość. Przywiązuj się raczej do przyszłości,
niż do przeszłości. Stań się własnym stwórcą. Mogą
w tobie żyć dwie osoby. Angielski dżentelmen zawsze
nosi kwiat w butonierce, nawet jeżeli ma kłopoty.

Radość życia zależy od sposobu, w jaki filtrujemy
rzeczywistość i ją interpretujemy. Możemy stworzyć
sobie wspaniały świat. A jeżeli tego nie robimy, dzieje
się tak dlatego, że nie zgłębiamy wystarczająco możliwości naszej wyobraźni.

Jedna godzina dziennie na realizację postanowienia

Jeżeli nawet wypełniasz tylko sześć postanowień na
dziesięć, możesz sobie pogratulować. Codziennie powinniśmy zrobić coś więcej, by zbliżyć się do zrealizo-
wania naszych marzeń, nawet jeżeli będzie to tylko pięć
minut – rozmowy telefonicznej, pisania listu, przeczyta-
nia kilku stron jakiegoś autora… Obiecaj sobie spełnie-

nie jednego postanowienia dla przyjemności, a drugiego z obowiązku. Zobowiązania są trudne do realizacji na dłuższą metę (dieta, powstrzymywanie się od narzekania, ćwiczenie). Łatwiej dotrzymać postanowień jednodniowych. Możesz też eksperymentować z przyrzeczeniem na godzinę. W tym czasie zrób coś, czego się boisz lub czego najbardziej nie lubisz. Godzina ćwiczeń fizycznych, prasowania, korespondencji urzędowej... Nie martw się tym, co pomyślą o tobie inni. Nawet jeżeli takie zachowanie wyda się komuś dziecinne, przynosi owoce. Daj sobie szansę zrobienia czegoś wyłącznie dla siebie. Skoncentruj się przez kwadrans (ale nie dłużej) na jakimś projekcie. Powoli nabierze on kształtu, choć sama nie będziesz sobie z tego zdawać sprawy. To może być nauka języka obcego, zapamiętanie funkcji harmonicznej jazzu, przejrzenie dokumentów rodzinnych. Skoncentrowanie się przez piętnaście minut jest warte więcej niż roztargnienie przez godzinę.

Wizualizuj swoje życie

Najbardziej namacalnym sposobem sprecyzowania jakiejś myśli jest jej wizualizacja. Jeżeli uda ci się zatrzymać jakiś obraz w świadomości przez siedemnaście sekund, stanie się on wirtualną rzeczywistością. Wyobraź sobie, kim będziesz za miesiąc, za rok, z kim wtedy będziesz, co będziesz nosić, jak będziesz żyć, jak chciałabyś umrzeć, co chciałabyś po sobie zostawić ludziom. Wyobraź sobie osobę, która jest w tobie: co w niej lubisz, co ona może ci dać. Następnie przedstaw sobie znanych ludzi, których najbardziej podziwiasz,

których chciałabyś poznać albo których
Zorganizuj w wyobraźni sytuację, która zg-
by ich wokół ciebie. Zaaranżuj rozmowę, podczas ktorej otrzymujesz od nich rady i słyszysz słowa otuchy.
Pozwól im dzielić z tobą swoje sekrety, idź w ich ślady. W każdym z nas kryje się istota pełna witalności,
energii, charyzmy. Kim będziesz, mając dziewięćdziesiąt lat? Co możesz zrobić teraz, by stać się tą osobą?
Jakie zmiany powinnaś wprowadzić do swojego życia,
by cieszyć się lepszym zdrowiem, być bardziej otwarta, mądrzejsza, weselsza? Większość wielkich lekkoatletów wizualizuje zawody, w których ma wziąć udział.
Widzą, jak zwyciężają i jak smakują sukces.

Odróżnij to, co zależy od ciebie, od tego, co jest od ciebie niezależne

> *Kiedy pojawia się przykra myśl, pamiętaj, że nie jesteś tym, co sobie wyobrażasz na swój temat. Jeżeli myśl ta nie odnosi się do rzeczy, które zależą od ciebie, powiedz sobie: „To mnie nie dotyczy".*
>
> Epiktet

Jeżeli pragniesz czegoś, co jest od ciebie niezależne, będziesz nieszczęśliwa. Wszystkie rzeczy, które zależą od ciebie, znajdują się w twoim zasięgu.

Przeżywając różne zdarzenia, zapytaj sama siebie, jakie masz siły. I zrób z nich użytek.

Angażuj się tylko w to, co możesz zrobić lub uzyskać sama. Człowiek uzależniony od innych jest żebrakiem.

Oświadcz sprawom, które nie zależą od ciebie, że nic dla ciebie nie znaczą.

Jedyne rzeczy, które od nas naprawdę zależą, to wybór pragnień, sposób myślenia, rozwijanie zalet, praca nad sobą. Nie jesteśmy natomiast panami naszego losu; nawet nasze zdrowie, nasze dobra, nasza pozycja społeczna mogą zmieniać się wbrew naszej woli.

Lektura i pisanie

Czytaj, ile możesz

> *Książki służą do wskazywania kierunków, które powinien obrać umysł.*
>
> Ralph Waldo Emerson, *Wiara w siebie*

Wszystko, co czytamy, staje się elementem naszej świadomości.

Większość książek opiera się na osobistych obserwacjach ludzi. Możemy w ten sposób zebrać w ciągu jednego popołudnia owoc pracy wymagającej całego życia, nieskończenie wiele trudu, poszukiwań, cierpień, doświadczeń...

Jeżeli robisz notatki, możesz przypomnieć sobie najważniejsze myśli zawarte w książce. Wydobądź z książek treści, które cię osobiście poruszają, zapisując je. Będą one stanowiły twój najżywszy portret.

Zdania i obrazy dają przyjemność, odwagę, witalność, nadzieję.

Czytaj w atmosferze spokoju, nie słuchając muzyki, nie pijąc kawy, nie jedząc herbatników. Po zakończeniu rozdziału lub zapoznaniu się z kilkoma stronami zamknij książkę i zastanów się nad tym, co przeczytałaś. Słowa stworzono po to, by interpretować myśli. Gdy jakaś myśl została zasymilowana, słowa nie są już potrzebne. Ale wiedza powinna poprzedzać myśli. To nam pozwala lepiej poznać siebie. Wszyscy jesteśmy niepowtarzalnym kolażem złożonym ze śladów wpływu naszych rodziców, przyjaciół, doświadczeń, nauki, podróży, lektur. Wpływają na nas niezliczone informacje, których nie możemy zapamiętać, ponieważ jest ich za dużo, ale które nas – jedna po drugiej, mniej lub bardziej – zmieniły.

Podzielenie się swoimi myślami nie jest jednoznaczne z oznaczeniem swoich granic (afirmacja, negacja). Osoba wykształcona może postrzegać zarazem jedność i złożoność zdarzenia bez znajdowania w tym sprzeczności. Dla umysłu ważniejsze od rozumienia jest pozostanie rozbudzonym.

Jednak w czytaniu książek zawiera się niebezpieczeństwo osłabienia umiejętności samodzielnego doświadczania i przyzwolenia wyobraźni na błądzenie bez umiaru. Często ludzie boją się zmienić swoją opinię, ponieważ władają nimi przeczytane gdzieś cudze myśli. Nie chcą utracić tych myśli, tak jak nie chcą utracić posiadanych rzeczy.

Czytanie zbyt wielu książek wyczerpuje energię. Nie miej większej liczby książek niż ta, którą możesz przeczytać. Wystarczy kilku autorów, parę dzieł, ale za to najważniejszych.

Zamiast pochłaniać dużo książek, przeplataj lekturę pisaniem i rób notatki na temat tego, co czytasz, by zmusić się do precyzyjnego, jasnego wyrażania swoich opinii i myśli. Praktyka ta wprowadzi je do twojego umysłu, co pozwoli ci wykorzystywać je w życiu codziennym. Przyswajamy to, co słyszymy, czytamy, piszemy. Przenika nas to, pomaga w interpretowaniu przeżyć. Czytać i pisać oznacza zajmować się sobą. Ideałem jest znalezienie równowagi pomiędzy lekturą, pisaniem a refleksją. Bądź jak pszczoła, która przelatuje z kwiatu na kwiat i wybiera te, które umożliwiają jej wytworzenie miodu. Gromadź wszystko, co uzbierałaś podczas różnych lektur. Dołóż wszelkich starań, by stworzyć solidniejsze, w pełni twoje i tylko twoje „ja", zebrać w całość rozliczne znaleziska.

Pisz, by rozwijać swoją osobowość

Uciekaj od tematów ogólnych i pisz o tym, co przynosi ci życie codzienne. Opisz swój smutek i pragnienia, myśli, które pojawiają się w świadomości, i twoje przekonania, ujmując je w piękne formy. Opisz to wszystko z pokorną i niemą szczerością, a kiedy wyrażasz swoje myśli, posługuj się słowami sobie bliskimi, obrazami ze swoich snów i przedmiotami, które znasz. Jeżeli twoje życie codzienne wydaje ci się ubogie, nie miej pretensji do życia. Wiń samego siebie. Przyznaj, że nie było w tobie nigdy wystarczająco dużo poezji, by przywołać bogactwo. Bo dla twórcy nie ma ani ubóstwa, ani ubogich, ani obojętnego miejsca.

Rainer Maria Rilke, *Listy do młodego poety*

Kiedy nie wiesz już, co robić, zapisz na kartce wszystko, co przychodzi ci do głowy. Myśli gubią się w bałaganie i panice. A słowa nadają sens. Napisz, czego pragniesz. Sam fakt pisania jest czynnością magiczną. Przywyknij do tego, że wiesz dokładnie, czego chcesz.

By uwolnić się od swoich myśli, trzeba najpierw jasno je wyrazić, a następnie je odrzucić. Pisanie jest skutecznym sposobem, by nauczyć się poznawać i słuchać samego siebie. Wszyscy potrafią pisać. Ale gdy tylko jesteś przekonana do jakiejś idei, zniszcz wszystko, co napisałaś. Powinny pozostać jedynie wrażenia, które ta idea pozostawia w tobie. Zachowaj wyłącznie notatki dotyczące przyjemnych rzeczy – w ponurych okresach będziesz miała przed oczami wszystkie bogactwa, sukcesy i radości, które są dowodami na to, że przeżyłaś dużo chwil, gdy czułaś się spełniona i... że nastąpią kolejne takie chwile.

Pisanie jest wchodzeniem w relację z własnym umysłem. Akt ten angażuje równocześnie intelekt, intuicję i wyobraźnię. Jeżeli nie wiemy dokładnie, gdzie jesteśmy, jak możemy obrać kierunek, by podążać dalej?

Pisz, gdy jesteś zagniewana. To najlepszy sposób na stworzenie dystansu pomiędzy tobą a twoimi problemami. Poczujesz się tak, jakby w pewnym sensie nie należały one już do ciebie. I jest to także najlepszy ze środków nasennych. Po przelaniu na papier swoich myśli i wyrażeniu tego, co leży ci na sercu, poczujesz się spokojna.

Obrazy podsuwane przez wyobraźnię są tak samo ważne dla duszy jak widoki natury dla oczu. W tym sensie niezbędne są poezja, powieści i filmy. Prowadź własny zeszyt cytatów, wierszy, dowcipów, anegdot, opowiadań, wspomnień...

Każ pracować swojej pamięci

> *Inteligencja człowieka powinna ćwiczyć się w tym, co nazywamy tworzeniem idei, zaczynając od licznych wrażeń i dążąc do ich syntezy, której dokonanie jest aktem refleksji. Akt ten polega na przypomnieniu sobie rzeczy, które widziała nasza dusza, gdy towarzyszyła w spacerze Bogu.*
>
> Jean Baptiste Racine, *Fedra*

Przypominanie sobie tego, co jest w naszej pamięci, otwieranie jednej po drugiej jej szuflad, recytowanie tego, czego nauczyliśmy się linijka po linijce, przypominanie sobie najważniejszych sentencji, które poznaliśmy – oto najlepszy sposób rozwijania naszego potencjału gromadzenia informacji.

Mów sama do siebie, wypowiadaj nazwy rzeczy, by je zapamiętać. Nie ma lepszego sposobu, by zdobyć doświadczenie i mądrość, jak potrafić sobie przypomnieć różne rzeczy. Na przykład sportowcy zapamiętują zdania, wypowiadają je, powtarzają, by zadomowiły się one w ich umyśle. Następnie te utrwalone schematy podpowiadają im codziennie zadania, które należy wykonać. Polecenia te organizm odbiera sam, umysł nie musi już interweniować.

Zainwestuj w wiedzę

> *Zen symbolizuje wysiłki ludzkie, mające na celu dotarcie dzięki medytacji do sfer myśli znajdujących się poza ekspresją werbalną. Można wejść w harmonię z absolutem. Człowiek intelektualny jest maszyną. Wiedza jest tym, co umysł asymiluje.*
>
> Inazo Nitobe, *Bushido. Dusza Japonii*

Uczenie się jest czynnym użytkiem, jaki robimy z umysłu, prowadzącym do aktywnych zmian w ciele. Ciało to fizyczny skutek wszelkich interpretacji, których uczono nas od dnia naszych narodzin. Nowe wiadomości, umiejętności, zdolności pomagają ciału i umysłowi się rozwijać. Zamiast przeznaczać pieniądze na dobra materialne, wydaj je na zdobycie wiedzy. Wiedza jest jedyną rzeczą, której nikt nigdy nie może ci odebrać. Inwestycja ta w miarę upływu czasu zyskuje większą wartość. Ale uważaj: nie uznawaj zgromadzonej wiedzy za swoją własność. Ludzie, którzy potrafią przestać myśleć o sobie, nie mówią o tym, co wiedzą, ale o ideach, które tworzą. Nie są skupieni na swojej wiedzy. Wiedza jest tym, co umysł asymiluje.

Najlepszym sposobem, by się uczyć, jest nauczanie. Zmusza cię ono do rzeczywistego opanowania tematu, do przedstawienia swoich wiadomości i do doskonalenia sposobu ich przekazania. Zobowiązuje cię ono do podnoszenia poziomu, do myślenia w sposób kreatywny i jasno artykułowany.

Wyzwól swoją świadomość, zaakceptuj to, co irracjonalne i niezrozumiałe, by uszlachetnić i wzbogacić swoją osobowość. Niestety, my, ludzie Zachodu, mamy przeciw sobie wszystkie autorytety intelektualne, moralne i religijne.

Wiedza to władza. Ale mieszkańcy krajów zachodnich uświadamiają sobie tylko to, co wyraża się słowami. Ludzie Orientu uznają za bezużyteczne opisywanie słowami doświadczeń dotyczących sfery irracjonalnej.

Ćwiczenia i dyscyplina

Dlaczego ćwiczenia są potrzebne?

Zmieniać się na lepsze to raczej wyzwalać siebie, a nie kształtować siebie czy zdobywać wiedzę.

Trzeba pracować nad samym sobą, by korygować swoje wady i znaleźć środki, by stać się na nowo tym, kim powinniśmy być, ale kim nigdy nie byliśmy. Każde ćwiczenie wymaga przede wszystkim skoordynowania z innymi, systematyczności, zarezerwowania pory w ciągu dnia, dnia w tygodniu, miesiąca w roku. Żadna chwila życia nie powinna być dwoista, gorączkowa, przeżywana w napięciu z powodu różnych rodzajów aktywności.

Etyka wymaga ćwiczeń, systematyczności, pracy. Nie jest to nasz obowiązek, ale osobisty życiowy wybór. Prawdziwa filozofia jest samodyscypliną. Trzeba zmagać się z samym sobą. A przede wszystkim trzeba polubić ćwiczenia, postrzegać je jako potrzebę, źródło wzbogacenia, konieczność. Każdy człowiek może traktować jako lekcję estetyki zrozumienie faktu, że przeznaczeniem pożywienia jest zaspokojenie głodu, napoju – ugaszenie pragnienia, a domu – ochrona przed niepogodą i nieprzyjaznością świata zewnętrznego.

Zanim zaczniemy wykonywać jakieś ćwiczenie, trzeba się upewnić, że nie spowoduje ono cierpienia, że da nam przyjemność i satysfakcję, gdy zostanie opanowane.

Rzeczą podstawową jest poznanie swoich możliwości. A następną wykazanie zaangażowania przez jeden dzień, dwa dni, tydzień. Mówi się, że idealnym okresem dla ćwiczenia jest dwadzieścia osiem dni – czas, po którego upływie w ciele i umyśle zwykle rodzą się pewne nawyki.

Pogodzenie dyscypliny i odprężenia, aktywności i odpoczynku jest trudnym, ale pasjonującym ćwiczeniem. Wymaga nieustannej uwagi, jednak bez niego nie jest możliwa żadna zmiana.

Sekrety dobrego ćwiczenia

Sekretem powodzenia każdego ćwiczenia jest jego dozowanie. Należy wystrzegać się (to już kolejny raz) nadmiaru i nie doprowadzać siebie do choroby, nie dopuszczać do przesady. Ćwiczenie przyniesie korzyść jedynie wtedy, gdy jest odbierane jako pozytywne, przyjemne i efektywne. Wtedy i tylko wtedy stanie się koniecznością i będzie regularnie powtarzane. Ciało nie może zdominować duszy. Powinno być gotowe do aktywności intelektualnej, lektury, pisania… To jest celem ćwiczeń.

Kilka ćwiczeń

Ćwiczenia poranne

Kiedy dużo kosztuje cię wstanie rano z łóżka, przypomnij sobie tę myśl: „Budzę się, by spełnić swoją ludzką powinność. Ludzie, którzy kochają swój zawód, spalają się w pracy, zapominając o kąpieli i posiłku. Czy cenisz niżej wartość swej natury niż rytownik swoją sztukę, a tancerz taniec?".

Marek Aureliusz, *Myśli*

Rano ustal plan dnia. Przypomnij sobie najważniejszy cel swoich działań. Powiedz sobie, że dążysz do doskonałości. Nowy dzień jest następnym stopniem, który pokonujesz w życiu. Ten rodzaj osobistych refleksji nadaje formę estetyce twojej egzystencji. Ale staraj się unikać popadania w narcyzm.

ĆWICZENIA W CIĄGU DNIA

Wzmacniaj wytrzymałość fizyczną. Jeżeli chcesz stać się osobą aktywną, powinnaś podejmować wysiłek fizyczny – umacniać swoją odwagę, umieć znosić cierpienie bez rezygnacji czy skargi, starać się być wytrzymałą na zimno, senność, głód.

Dawaj swojemu ciału tylko to, co jest mu niezbędne, by się dobrze czuło, od czasu do czasu obchodź się z sobą dość surowo, by umieć, kiedy będziesz do tego zmuszona, przyjmować ciosy od życia.

Ćwicz się w umiarze, cierpliwości, opieraj się pokusom, które mogą się nadarzać, odczekaj kilka chwil, zanim wyjmiesz prezent z opakowania, list z koperty…

ĆWICZENIA WIECZORNE

Przygotowuj się do snu, analizując wszystko, co zdarzyło się w ciągu dnia, i oczyść w ten sposób umysł. Zabroń sobie roztrząsania problemów, a sprawisz, że twój sen będzie spokojny.

Dokonaj bilansu rzeczy, które zrobiłaś – jak zostały one wykonane, jak powinny być wykonane, dlaczego stało się inaczej i jakie wnioski możesz z tego wyciągnąć.

Następnie dopełnij rytuału oczyszczenia – wciągnij w nozdrza zapach perfum, kwiatów, kadzidełka… Słuchaj przez kilka minut muzyki, weź kąpiel i przygotuj się do słodkiego snu, prosząc noc, by przyniosła ci odpoczynek i marzenia zgodne z twoimi pragnieniami.

Ubóstwo, skromność i dystans

> *Przypominam sobie dzień, gdy na Saharze pewien beduin poczęstował mnie słodzoną herbatą, podaną w maleńkiej szklance. Przygotowanie napoju było ceremonią. Człowiek ten zagotował wodę w starej puszce po konserwach na małym ognisku, rozpalonym z paru gałązek. Miał tylko jedno naczynie, więc najpierw podał herbatę mnie, a następnie, gdy skończyłem pić, przygotował napój dla siebie.*
>
> z dziennika podróży

Ubóstwo jest dla wielu mistyków i myślicieli – zarówno Zachodu, jak i Wschodu – równoznaczne z cnotą. Według zen termin „ubóstwo" nie oznacza jedynie braku pieniędzy, ale także pokorę ducha i rezygnację z przemijających pragnień.

Myśliciel i pisarz angielski Thomas Carlyle stworzył studium porównawcze ubóstwa i filozofii próżni, stwierdzając, że powinniśmy zrezygnować z wszelkiej dwoistości. Poszedł w ślady dominikanina, żyjącego w XIII wieku mistrza Eckharta, który przez całe życie głosił, że nieposiadanie niczego i otwarcie się na próżnię jest drogą filozofii i życia, podejściem racjonalnym, nie realistycznym, a religijnym. Ubóstwo, o którym mówił w swoich kazaniach, nie było zewnętrzne, materialne, ale wewnętrzne.

Wielu ludzi ma pieniądze, ale żyje jak biedacy. Utraciło entuzjazm płynący z doceniania spraw życia i nie zachowuje już nawet wspomnienia szczęścia, którego doświadczało w młodości. Nie pragnąć niczego to nie przywiązywać się do swojego „ja". Dla mistrza Eckharta i dla buddystów przyczynami nieszczęścia człowieka są zachłanność, pragnienie posiadania i ego. Wszystkich tych wielkich mędrców łączy wspólna idea – brak przywiązania.

Naszym celem byłoby więc nie „mieć", ale „być". Oczywiście, niemożliwe jest nieposiadanie niczego, bo sprowadzałoby się ono do uzależnienia od innych. Jak tłumaczy słusznie filozof i psychoanalityk austriacki, Erich Fromm, patrzeć na kwiat to żyć w stylu „być". Zerwać kwiat, to żyć w stylu „mieć".

„Mieszkaniec Zachodu – pisał Carl G. Jung – nie potrafi zrozumieć buddysty, ponieważ społeczeństwo, w którym żyje, jest skoncentrowane na własności i pożądaniu". W tym sensie równie trudno pojąć Eckharta i zen albo poezję Bashô. Japoński koncept *sei hin* (*sei* oznacza czystość, a *hin* piękno) przypisuje większe znaczenie czystości serca niż bogactwu materialnemu. Dlatego jeszcze kilka wieków temu kupców w Japonii traktowano z głęboką pogardą.

Ubóstwo

Za wszelką cenę trzeba osiągnąć jedno – mieć za co żyć. Osiągnąć bezpieczeństwo finansowe, by zachować niezależność i godność.

Rozumiemy także, że łatwiej jest znosić nieposiadanie niczego niż utratę tego, co posiadaliśmy. Nie przywiązując się do rzeczy materialnych, zyskujemy dystans psychiczny, a więc i duchowy.

Wszystko to jest możliwe – osobą, której najłatwiej powiedzieć „nie", jesteś ty sama.

Można wówczas znaleźć upodobanie w narzucaniu sobie ograniczeń, prowadzeniu oszczędnego życia.

To ubóstwo z wyboru, które wspiera skromny gust, może przemienić się w bogactwo. Powoli dzięki temu stylowi życia nauczymy się cenić praktyczne zalety rzeczy, a nie ich zdolność do zwracania na nas uwagi.

Jeść, by zaspokoić swój głód, panować nad sobą, by poskromić swą złość… Wszystko to jest niezbędne, by znaleźć spokój. Trzeba w pewnym sensie opuścić siebie samego. W ten sposób porzucamy wszystko inne.

Paradoksalnie człowiek, który rezygnuje z samego siebie, zachowuje wszystko, co chce, ponieważ wyrzekł się wszystkiego, czego nie pragnął naprawdę. Biedny jest nie ktoś, kto ma mało, ale ktoś, kto pragnie więcej. Człowiek, który potrafi przystosować się do ubóstwa, jest bogaty.

Skromność jest dobrowolnym ubóstwem, a miarą bogactwa jest to, co niezbędne, i to, co wystarczające.

Epikureizm wywodzi się z ascetyzmu – żadne dobro niczego nie daje swojemu właścicielowi, jeżeli nie był on wcześniej przygotowany na jego utratę.

Wyobraź sobie, że nie masz niczego więcej poza mieszkaniem, łóżkiem, stołem, komputerem, małą kuchnią z wyposażeniem i kilkoma ubraniami. Żadnej biżuterii, książek, bibelotów… Czy czułabyś się wtedy jak w niebie, czy raczej jak w piekle? Doskonal się w ubóstwie. Praktykuj wyrzeczenie jako rodzaj systematycznego ćwiczenia, do którego będziesz od czasu do czasu wracać. I które pozwoli ci nadać nowy kształt twojemu życiu. Od czasu do czasu trzeba wyrzec się luksusu, by nie być nieszczęśliwym w dniu, gdy los pozbawi nas wszystkiego. Trzeba się ćwiczyć w ten sposób w byciu szczęśliwym – po prostu.

Trzeba także praktykować ubóstwo, by się go nie obawiać. Jeżeli zazwyczaj pijesz wyłącznie bardzo dobrą arabikę, przez tydzień przygotowuj sobie kawę rozpuszczalną.

Ślepa rezygnacja jest tak samo niemądra jak światowe życie, ponadto nie jest możliwa do realizacji. Jednak możemy starać się znaleźć złoty środek – szczęśliwą równowagę między chęcią wykorzystania wszystkich możliwości, które się nam nadarzają, a trwania z założonymi rękami. Wystarczy przywiązywać się jedynie do rzeczy, które mają prawdziwe znaczenie. Zawsze zadawaj sobie pytanie, czy to, co robisz, jest warte wysiłku, i jaki będzie skutek, jeżeli z czegoś zrezygnujesz. Obojętnie czy chodzi o dobro materialne, obowiązek zawodowy czy decyzję rodzinną.

Minimalizm, etyka i religia

Pustynia jest miejscem należącym do nomadów, którzy mają tylko to, co jest im potrzebne. A rzeczy, bez których nie mogą się obejść, to te, które są niezbędne do życia, nie majątek.

Nie ufaj religiom i etyce, zwłaszcza jeżeli wszystko, co po nich pozostaje, to forma pozbawiona życia. Nie

trzeba należeć do wspólnoty, by odczuwać współczu-
cie i pokorę. Również nie stajemy się osobami skromnymi czy minimalistami, prowadząc życie wiejskiego
analfabety albo rezygnując z wszelkiej wiedzy. Przeciwnie, dochodzimy do tego, pogłębiając znajomość świata i pozostając w łączności duchowej z jego ogromem.

Drogi prowadzące do pokory, uczciwości i współ-
czucia zaczynają się od naszego stylu życia. Dlaczego
zawsze pojawia się potrzeba bycia najlepszym, najbo-
gatszym, najinteligentniejszym? Skąd ta nieustanna
chęć pognębienia innych swoją wiedzą i władzą, swoim majątkiem? Żyjąc skromnie, mając niewiele rzeczy,
możemy pokonać niesprawiedliwość w złym guście,
krzykliwy konformizm, uprzedzenia i konwenanse.

Bardziej komfortowo jest żyć w rozsądnym asce-
tyzmie niż w niesprawiedliwej mieszczańskiej sytości.
W dawnej Japonii istniała pewna sztuka – miłośnicy
luksusu stawali się pustelnikami, bytującymi w skrom-
nych siedzibach, jedzącymi niewiele, mającymi mało
i nieutrzymującymi prawie wcale kontaktu ze społeczeństwem.

Rzeczy, które zostały zgromadzone, są martwe. Nie
należy im więc przypisywać więcej znaczenia niż naszemu życiu, czasowi, energii.

Żyć skromnie to nie tylko zadowalać się prostym
posiłkiem. To także aspirować do najwyższego poziomu intelektualnego i najdoskonalszego stylu życia.

Oznacza to doceniać wszystko, odkrywać radość
w rzeczach najprostszych, najbanalniejszych, korzystać
z tego, co się nadarza.

Jeżeli masz trzy samochody i czujesz się nieusatysfakcjonowana, dzieje się tak prawdopodobnie dlatego, że należysz do osób rozrzutnych, brak ci umiejętności korzystania z rzeczy. Na naszej drodze pojawia się dużo przyjemności, za które nie trzeba płacić, a my je lekceważymy – biblioteki zasobne w tysiące książek, lasy, w których można zorganizować piknik, jeziora, w których można pływać, programy radia edukacyjnego... Marnotrawstwem jest posiadanie rzeczy, z których nie korzystamy. Ponieważ mamy ich zbyt wiele, przechodzimy obojętnie obok wielu możliwości.

Prostota to równowaga, to umiejętność mierzenia stopnia, w jakim ważny jest dla nas świat materialny i skutecznego korzystania ze szczęścia, które się nadarza, mądre używanie pieniędzy, czasu i własności.

Żyć szczęśliwie nie oznacza żyć biednie, wciąż się ograniczając, stale się wyrzekając. Sposób na osiągnięcie szczęścia to zyskanie pozytywnego stosunku do wyrzeczeń i nieliczenie na rzeczy materialne, by stać się szczęśliwym. Mamy w swoim wnętrzu tyle nieodkrytych bogactw!

Wystarczy jest wystarczające

Człowiek który myśli, że coś jest dla niego wystarczające, zawsze będzie miał wystarczająco dużo.

Lao-Cy

Skromność jest nie tylko inteligentnym i pełnym prostoty, ale także eleganckim stylem życia. Sprowadza się do magicznego słowa „wystarczy".

Nadając własne znaczenie słowu „wystarczy", będziesz szczęśliwa. Wystarczy, by żyć, wystarczy, by się wyżywić, wystarczy, by być zadowoloną...

Jeżeli chcesz zaspokoić wszystkie swoje potrzeby, nigdy nie możesz powiedzieć „wystarczy".

Zasadniczą sprawą jest znalezienie w życiu złotego środka pomiędzy spokojem a intensywnością wrażeń.

Nie przywiązując się do rzeczy, będziesz mogła zyskać dystans do ludzi oraz ich skostniałych zasad. Będziesz wówczas umiała z łatwością dostosowywać się do warunków zewnętrznych, akceptować i przyjmować wszystko z radością. Dzieje się tak, gdy wszystkiego się wyrzekliśmy i wszystko odrzuciliśmy wewnętrznie, gdy nie ma już w nas żadnego przywiązania. Każde nasze działanie może być wówczas podyktowane okolicznościami. Ideałem byłoby nie przywiązywać się do niczego i nie zależeć od nikogo, zadowalać się działaniem z najwyższą troską o doskonałość.

To, co mamy do stracenia, nie jest tak ważne jak to, co możemy zyskać. Możemy osiągnąć cel, pracując nad tym, co ważne, piękne i doskonałe.

Rezygnacja

Brak przywiązania jest owocem rezygnacji, a rezygnacja – najważniejszym warunkiem osiągnięcia dystansu.

Zawsze najbardziej powinniśmy się troszczyć o jak najlepsze poznanie swojej duszy, ale marnujemy czas, życie i cenną energię na gromadzenie przedmiotów, majątku, szukanie przyjemności w jedzeniu, piciu, silnych emocjach... Staramy się bezustannie zdobyć więcej, a zapominamy, że siła i wiedza są w każdym z nas.

Rezygnacja jest jedną z najtrudniejszych rzeczy. By nauczyć się rezygnować, należy wyznaczyć sobie rozsądne cele. Jeżeli chcemy zajść daleko, musimy zacząć marsz spokojnie, bez zużywania rezerw. Następnie trzeba nauczyć się wykorzystywać swoje porażki do tego, by się zmieniać. Rezygnacji, braku przywiązania nie można się nauczyć w ciągu kilku dni ani nawet wyrzekając się całego majątku. Prawdziwa umiejętność wyrzekania się leży w naszym wnętrzu. Świadomość człowieka potrzebuje okresów asymilowania i przygotowania. Wielu rzeczy nie można przyswoić od razu, ponieważ nie stanowią od dawna części naszej świadomości.

Słowa „ja, mój, moja, moje..." nakładają nam kajdany i czynią nas niewolnikami, ponieważ określają wszystko, co nas wzbogaca: majątek, pieniądze, władzę, nazwisko, i są równoznaczne ze słowami „brać, zatrzymywać, chcieć, gromadzić". Oczywiście słowa te nazywają typowe ludzkie zachowania, ale w naturze ludzkiej leży także poszukiwanie szczęścia gdzie indziej.

Gdy tylko dasz mózgowi i nerwom odpocząć dzięki myśli o niezależności, uzyskasz wszystko, czego pragniesz od życia. I spojrzysz na świat bardziej optymistycznie.

Cały sekret to ćwiczenia.

Ważne jest, by w pierwszej części życia spróbować wszystkich przyjemności, zdobyć to, co budzi

pragnienia, gromadzić doświadczenia. Możemy wówczas zrozumieć, że rezygnacja jest szczęściem i że spokój
zależy od czegoś innego niż wszystkie małe, codzienne
przyjemności.

Oszczędzaj swoją energię

*Odkryj na nowo naturalne pulsowanie, jakim jest twoja
energia*

> *Dusza, ta błękitna iskra przemieszczająca się z niewiary-*
> *godną prędkością niczym światło elektryczne... Jogin był*
> *zdolny oddzielić swoją duszę od ciała, do którego wchodziła*
> *i które opuszczała podług jego woli.*
>
> Teofil Gautier, *Romans mumii*

Wyobraź sobie, że energia krąży w tobie jak bieżą-
ca woda. Przytłacza cię wszystko, co występuje w nadmiarze. Wszelki nadmiar opanowuje twoją przestrzeń
materialną i psychiczną. Usuwanie przeszkód nie jest
synonimem wyrzeczenia, negacji, zubożenia. Przeciwnie, oznacza więcej przestrzeni, jasności, lekkości.
Dzięki myślom zdobywamy lub tracimy energię, zaprzestań więc wszelkiego wartościowania. Nie przypi-
suj zbyt wielkiej wagi rzeczom ani wydarzeniom. Życie
pełne jest sprzeczności. Kto tego nie wie, cierpi. Usuwać przeszkody to nie tylko robić miejsce czy zyskiwać
czas. To także zredukować statyczny stan emocjonal-
ny, fizyczny i moralny, który nas umniejsza, drenuje
nasze siły, przeszkadza nam działać. Oddalamy się od
najważniejszych spraw, gdy zbyt dużo rzeczy nas roz-
prasza. Jeżeli każdy ma energię, dlaczego nie wszyscy ją

odczuwają? Prawda jest taka, że korzystamy z energii, którą mamy, ale aktywność jest do tego stopnia częścią naszej codzienności, że jej nie zauważamy. Powietrze jest naładowane elektrycznością, produkują ją i przekazują za pośrednictwem przewodów maszyny. Także człowiek żyje dzięki innemu rodzajowi energii – swojej energii, czi. To ta energia sprawia, że człowiek się porusza, myśli, żyje. Na wszystko, łącznie z rzeczami, ludźmi, sztuką, strojem, jedzeniem, wpływa poziom naszej energii. Życie to ciąg odczuć, łańcuch myśli, które są tak realną energią w świecie ducha, jak elektryczność w świecie fizyki. Każdy człowiek wiedzie życie zależne od natury swojej istoty. Osoba ludzka jest projekcją różnych wpływów i działań. Każdy z nas podejmuje aktywność pod wpływem rodzaju substancji, z której się składa. Ale to duch porusza materię. Współczesna fizyka jedynie potwierdza to, co zawsze nam powtarzał Orient: „Wszystko jest iluzją". W Chinach taoiści dążyli do osiągnięcia dzięki wibracjom większych zasobów energii fizycznej i duchowej. Wiedząc, że ciało podlega zmianom pod wpływem myśli, możemy się zmienić, jeżeli tego chcemy. Jest to kwestia koncentracji naszych sił fizycznych.

Ciało ludzkie jest anteną czi

Pojęcie czi pochodzi z Chin. Zostało stworzone przez taoistów, którzy studiowali nauki Żółtego Cesarza i Lao-Cy oraz ich sekrety. Relacje człowieka z wszechświatem były przedmiotem zainteresowania naukowców z wszystkich dziedzin: medycyny, religii, psychologii, filozofii, fizyki... Współczesna fizyka uważa, że wszystko we wszechświecie jest jedynie pulsującą energią, która przez przypadek przetworzyła się i skonkretyzowała w określonych momentach i w pewnych konfiguracjach materii.

W tym sensie materia jest jedynie medium, za którego pośrednictwem można obserwować układy i gęstość energii. Wszystko, co istnieje na Ziemi, tworzy globalną energię nazywaną życiem. Różne metody stosowane w medycynie alternatywnej (na przykład akupunktura, homeopatia, biofeedback, masaże) dają dostęp do pól energetycznych – elektrycznych, magnetycznych, umysłowych, psychicznych – znajdujących się poza arbitralnie wytyczonymi granicami ludzkiego ciała.

Jesteśmy ogromną dawką zakłóconej energii. To dlatego mieszkańcy Orientu zawsze uważali, że powinniśmy odnawiać naturalną, harmonijną pulsację będącą naszą istotą.

Walczymy, uciekamy, poddajemy się. Innymi słowy, podwyższamy lub obniżamy poziom naszej energii. Kiedy codzienne troski, gniew, frustracje odbierają nam energię, trzeba starać się ją odzyskać, wyzdrowieć, pojąć znaczenie naszych myśli i emocji. W ten sposób mamy szansę wyleczenia wszystkich chorób. Tak też można wytłumaczyć niektóre cuda.

Jest to możliwe, pod warunkiem że nauczymy się żyć w chwili obecnej. Najważniejsze są więc wiara, wolność i radość.

Kontroluj swoją energię

Należy utożsamiać człowieka nie z ciałem, ale ze strumieniem energii życiowej.

Yukio Mishima

Dąż ku temu, co daje ci satysfakcję, wzbogacenie osobowości i wolność. Wiesz, jakie działania, rzeczy, idee, myśli wiążesz z tymi wartościami. Kiedy jasno określisz, czego chcesz i z jakiego powodu tego chcesz, usłyszysz cichy głos, który cię do tego czegoś zaprowadzi. Dlatego dobrze jest myśleć i marzyć o rzeczach, których pragniemy. Możemy bez zmęczenia mówić godzinami o tym, co nas pasjonuje. Takie tematy nas fascynują, inspirują, sprawiają, że czujemy się w większym stopniu sobą. To z kolei daje nam formę energii nazywaną radością lub entuzjazmem.

Rodzimy się z określonymi predyspozycjami umysłowymi oraz ciałem, które pomaga rozwijać te predyspozycje i zwiększa nasze możliwości. Jedynie umysł jest zdolny uchwycić rzeczywistość. Jego moc nie ma granic. Umysł kontroluje ciało i może przekraczać granice materii. Jeśli chcemy mieć dostęp do większej ilości energii, ciało powinno być w doskonałej formie, ponieważ sekunduje ono umysłowi.

Zachowaj swoje zapasy energii

Wycieńczony umysł i ciało w złym stanie zwykle idą w parze. Żyj skromnie i prosto, staraj się mieć giętkie, rozluźnione ciało, szanuj innych ludzi i przyrodę. Bez tego nie będziesz się cieszyła dobrym zdrowiem.

Nie będziesz mogła kontrolować swoich lęków, nie będziesz szczęśliwa. Myśli, które nie są przekonaniami, są jałowe. A przekonania zyskujemy dzięki doświadczeniu. Ajurweda, czyli medycyna hinduska, utrzymuje, że umysł ma silny wpływ na ciało i że stan zdrowia zależy od stopnia świadomości umysłu.

Czi i entuzjazm

Zapomnij o wszystkim, co negatywne, by wykorzystać swoją energię na stanie się tym, kim pragniesz rzeczywiście się stać, lub osiągnięcie tego, co chcesz osiągnąć. Już dwa tysiące sześćset lat temu Lao-Cy powiedział, że nasze ciało składa się z mikroskopijnych cząsteczek połączonych ze sobą energią. Uważał, że umysł jest sekretną siłą oddziałującą na ciało i utrzymującą je przy życiu. Lao-Cy zalecał każdemu człowiekowi odżywianie czi i zwiększanie jej zasobów. „Nie podsycaj zamiłowania do rzeczy smutnych – mawiał – nawet jeżeli są one piękne". W dawnych Chinach nie znano ani melancholijnej, ani żywej muzyki, ani muzyki budzącej emocje. Muzykowano, by uleczyć człowieka i podnieść go na duchu.

Entuzjazm jest uczuciem, które pobudza do działania. Potężną energią, która powinna być pozyskiwana na wszelkie sposoby. Ale skąd brać entuzjazm, kiedy ciało choruje? Ludzie zdrowi to ci, którzy są weseli, którzy kochają życie i jego przyjemności. Żeby stać się takim człowiekiem, trzeba pamiętać jak najdokładniej najlepsze momenty swojego życia, chwile, które przenosiły nas w inny wymiar. Czy nigdy nie zdarzyło ci się, że odczuwałaś smutek bez żadnego szczególnego powodu, a tu niespodziewanie dzwonił przyjaciel z zaproszeniem na spacer? W jednej chwili zapominałaś o smutku i życie znowu należało do ciebie.

Wybieraj więc starannie przyjaciół, muzykę, lektury... Staliśmy się zbyt bierni i bezrefleksyjnie akceptujemy fakt, że narzucają się nam radio, telewizja, prasa, mody i trendy.

Jedna rzecz jest słuszna – żyć szczęśliwie. A żyć szczęśliwie to być żywym i kochać życie.

Czi na co dzień

Procesy zachodzące w ciele są konieczne dla jego oczyszczenia. Jednocześnie pomagają chronić to, co najcenniejsze. Przyczyną większości chorób jest zanieczyszczona krew. Zbyt duża ilość pożywienia blokuje przepływ energii. Ruszaj się, maszeruj, rób sobie masaże, medytuj, oddychaj... Nie lekceważ bezsenności. Wiedz, że środki nasenne nie usuwają jej przyczyn. Spróbuj dociec, skąd biorą się twoje kłopoty ze spaniem. Będąc pozbawiona co najmniej kilku godzin głębokiego snu każdej nocy, nie możesz żyć szczęśliwie. Bezsenność często jest powodowana przez zablokowanie energii. Jeśli czi nie może krążyć swobodnie, gromadzi się w jakimś miejscu w ciele i tworzy zastoje. Zbyta duża ilość energii zgromadzona na przykład w mózgu stymuluje jego aktywność. Pobudzony mózg uniemożliwia ci zaśnięcie. Wykonanie kilku asan jogi czy pójście na spacer poprawi krążenie czi.

Prawidłowemu obiegowi czi w przyrodzie sprzyja ruch wody. To dlatego, stojąc nad brzegiem rzeki,

przy wodospadzie albo fontannie lub spacerując brzegiem morza, człowiek tak świetnie się czuje. Chińczycy są przekonani, że woda niesie energię życiową i jest
święta.

Zakończenie

Podróżuj, żyj

Tak długo, jak długo ludzie będą podróżować do odległych,
zapomnianych miejscowości, gdzie czeka na nich mały pokój,
w którym spędzą noc, tak długo, jak długo będą czerpać
przyjemność z przemieszczania się transportem publicznym
i kupowania warzyw i owoców od ulicznych sprzedawców,
będą znajdować pocieszenie w małych rzeczach.

Alexandra David-Néel, *Lampa mądrości*

Praca przy biurku prowadzi do depresji, do odczuwania bólu istnienia i do rozkładu. Pozwól światłu i przyjemnym myślom dotrzeć do najmroczniejszych zakątków twego umysłu. Staraj się na nowo pozytywnie zinterpretować swoją przeszłość i nie pytaj, dlaczego żyjesz. Na to pytanie nie ma odpowiedzi. Zadaj sobie raczej pytanie, czego życie od ciebie oczekuje. Zmień otaczający cię krajobraz, oglądane twarze, zmień klimat. Wyjazd odświeża umysł i duszę. Podróż czyni łagodnym, przynosi ulgę, regeneruje.

Jak możemy być wolni, jeżeli przywarliśmy jak ostryga do skały do swojego domu, w którym panują rutyna i nuda? Wyjedź dla przyjemności. Nie po to, by wrócić z pamiątkami za parę groszy lub szowinistycznymi porównaniami. Wystarczą ołówek i notes. Wielu ludzi boi się braku stabilizacji. Inni nienawidzą powtarzających się sytuacji pozbawionych niespodzianki. Jeszcze inni są nieszczęśliwi, jeżeli jutro jest podobne do dnia dzisiejszego. Droga wydaje się fascynująca, ponieważ nie wiemy, dokąd prowadzi. Jaką radość daje wyruszenie w nieznanym kierunku, bez ograniczeń i obowiązków, z maleńką walizką i z całym wszechświatem dla siebie! Znajdź przyjemność w fakcie, że jesteś w tym, a nie innym miejscu, bez bagaży i sama, urzeczona pięknem pejzażu, nieznanymi twarzami... Te nowe doznania pozostawią niezatarty ślad w twojej duszy.

Śmiej się, bądź szczęśliwa

Śmiech jest niezbędny. Oczyszcza nas. Niektóre szpitale w Indiach wykorzystują go do leczenia pacjentów. Śmiech wygładza zmarszczki i umożliwia ujawnienie się wszelkiego rodzaju emocji. Człowiek, który nigdy się nie śmieje, to człowiek chory.

Koncentruj się na chwili obecnej, jest wystarczająco bogata sama w sobie. Powiedz sobie, że wszystko mija, nawet troski i nieszczęścia. I że nic nie jest wieczne.

Sporządź listę rzeczy, które sprawiają ci przyjemność. Staraj się zrobić sobie co najmniej jedną dziennie. Uprawiaj ogród, gotuj, spaceruj, pij herbatę, zjedz kilka grzanek. Stwórz coś, co będziesz mogła później podziwiać: rabatę w ogródku, kompozycję z kamieni, przegródki na drobiazgi w szufladzie...

Poczucie szczęścia w życiu zależy od bardzo małych rzeczy. Nie należy rezygnować z bycia osobą wolną, skromną, miłą, lubiącą towarzystwo. Szczęście jest nieustannym ćwiczeniem fizycznym i umysłowym, stałą walką. Trzeba umieć się bronić przed wszystkim, uczynić ze swego życia azyl. I wiedzieć, że tam, gdzie można żyć, można też być szczęśliwym.

Nasz cel powinien się streszczać w niezabieganiu o rzeczy przemijające, w znalezieniu szczęścia i największego dobra w swojej duszy i swoim umyśle, w byciu wolnym, stworzeniu własnej estetyki egzystencji.

Wszystko może uczynić nas szczęśliwymi. W każdej radosnej chwili realizujemy samych siebie, pomagamy sobie, pozwalamy sobie być sobą. Wiele małych, codziennych czynności może być źródłem zadowolenia – napisanie listu, zaplanowanie posiłku z przyjaciółmi, uporządkowanie szafy. Jeśli masz marzenia na przyszłość, to znaczy, że wierzysz jeszcze w siebie. Tak długo, jak długo żyjemy, mamy wybór. Ludzie, którzy uważają się za biednych lub nieszczęśliwych, nie rozwijają swojej wyobraźni i pozwalają umrzeć w sobie wielu rzeczom, które mogłyby być piękne i głębokie.

Znajdź spokój w sobie

Szczęśliwy jest ten, kto sądzi, że jest szczęśliwy. Wszystko, co mam, noszę ze sobą.

Stilpon z Megary, uczeń Sokratesa,
III wiek przed Chrystusem

Nigdzie człowiek nie znajdzie więcej spokoju niż w swoim wnętrzu. Zwłaszcza jeżeli przyswoił sobie idee, których przypomnienie natychmiast rodzi spokój i doskonały ład.

Spodziewaj się najgorszego, uśmiechaj się i akceptuj życie

Akceptuj nieuniknione z rezygnacją i wdziękiem. Powiedz sobie, że w pewien sposób to ci pomaga. Unikaj tego, czego możesz uniknąć, a z resztą mierz się stanowczo i cierpliwie. Mentalna akceptacja tego, co najgorsze, pomaga pozbyć się wątpliwości, fałszywych nadziei, niepokoju. Kiedy mówimy sobie, że mamy wszystko do stracenia, oznacza to, że coś możemy zyskać. Brak akceptacji życia takim, jakie ono jest, uniemożliwia nam rozwój. Tego samego dnia jesteśmy uczniami i mistrzami. Mądrość polega na tym, by wiedzieć, co robić w danej chwili. Gdy przestajemy walczyć z nieuniknionym, żyjemy pełniej.

Przyjmij nieszczęście, nie próbując go odrzucać. Wszędzie znajduj piękno i pocieszenie. Wstawaj wcześnie. Ćwicz jak starzy mieszkańcy Pekinu, którzy każdego ranka uprawiają czikung w parkach stolicy Chin. Żyj zgodnie ze swoją naturą i z naturą pór roku.

Marek Aureliusz radził w *Myślach*, by przywołać w pamięci osoby, którym coś zawdzięczamy i które pod jakimś względem były dla nas wzorem. Osoby, które przekazały nam to, z czego stworzyliśmy swój styl bycia i swoje zasady postępowania: „Człowiek, który jest tego godzien, nie może dokonywać wyboru między różnymi rodzajami życia. Przeciwnie, nie ma wyboru. Powinien zrozumieć, patrząc na świat, że cały pochodzący z nieba blask, wszystkie gwiazdy i meteory, są nierozłącznie związane z tysiącem plag nawiedzających ciało i duszę, z wojnami, rozbojami, cierpieniem i ze śmiercią. Ten osiągnął wszystko, kto wie, z czego powinien się cieszyć".

Życie i śmierć

Najważniejsze nie jest to, aby żyć, ale to, by być szczęśliwym.

Platon, *Kryton*

Jedynym sposobem na to, by pozostać przy życiu, jest docenienie istnienia. Świadomość, że pewnego dnia zgaśniemy jak świeca, zobowiązuje nas do podjęcia postanowienia o roztropnym życiu. Trzeba wszystko ułożyć tak, by żyć prawdziwie, by zawsze pamiętać o swoich ograniczeniach. Daje nam to spokój ducha, dzięki któremu gotowi jesteśmy przyjąć wszystko, co najgorsze. Następuje wówczas wyzwolenie energii. Ponieważ czas naszego życia jest ograniczony, trzeba być tak szczęśliwym, jak to możliwe w konkretnych warunkach...

Uczyń pierwszy krok, po nim kolejny, ale nie patrz ani zbyt daleko do przodu, ani za bardzo wstecz. Każdy powinien aspirować jedynie do tego, by być sobą. Zbyt często stawiamy sobie pytanie o sens życia, a następnie zdajemy sobie sprawę z tego, że odpowiedzi nie da się ująć w zdania. Można ją znaleźć w chwilach, kiedy nie pamiętaliśmy o tym pytaniu. Nasze cele i ambicje są jedynie substytutami, sublimacją poczucia, że żyjemy. Na każdym etapie rozwoju duchowego naszym najlepszym sprzymierzeńcem jest nasze ciało. Ktoś naprawdę uduchowiony żyje w chwili obecnej, istnieje w swoim ciele. Mieć przeczucie nieznanego, tego, że wszechświat jest pełen tajemnic i niewytłumaczalnych zjawisk – oto odpowiedź na pytanie o sens życia. By żyć, trzeba akceptować pewnego rodzaju szaleństwo, nie szukać przyczyn, ale zgodzić się na istnienie tajemnicy. „Ktoś, kto miał piękny sen – mawiał Henry Miller – nigdy nie skarży się, że stracił czas". Jest zadowolony, ponieważ doświadczył czegoś, co czyniło rzeczywistość wzniosłą i piękną.

Od XIX wieku ludzie żyjący w cywilizacji Zachodu zaczęli mylić ducha i intelekt. Nie widzieli różnicy między umysłem a duszą. Dusza potrzebuje przyjemności, tak jak umysł – myśli, a ciało – pokarmu. Pij szampana, studiuj filozofów New Age i przeżywaj każdą chwilę tak, jakby miała być ostatnią. Możemy być szczęśliwi jedynie wtedy, kiedy nasze naturalne potrzeby są we właściwy sposób zaspokajane. Żyj życiem z dnia na dzień, wybierając drogi, które wiją się pod wpływem dwóch biegunów w rytmie dni i nocy, w rytmie pór roku. Kochaj ludzi w ich nieskończonej różnorodności.

Bańki mydlane sztucznego szczęścia rozbijają się o ból straty, ale żyć szczęśliwie to zbliżać się do dos-

konałości. Troszcz się o swoje zdrowie i staraj się zachować równowagę między umysłem a emocjami. Powoli straty i śmierć nie wydadzą ci się ani bardziej, ani
mniej ważne niż zysk i istnienie. Życie jest sztuką, która osiąga szczyt, gdy człowiek nie musi już pracować.
Naszemu pokoleniu i następnym pokoleniom dane będzie oglądać więcej stu-, a nawet studziesięciolatków.
Najwyższa więc pora, by przygotować się na ten wspaniały czas i stworzyć warunki sprzyjające doznawaniu
pełni życia. Nie porzucaj marzeń, nie zamykaj umysłu
na tajemnicę. Żyj skromnie, a będziesz szczęśliwa.

Lista tysiąca twoich małych przyjemności